ちくま文庫

整体から見る気と身体

片山洋次郎

筑摩書房

目次

2 気からみた身体……49

[肩・首・頭]

付録

ていねいに読むだけで体のいろいろな部分が言葉を発し始めます。
何回読んでも新発見のある名著です。

よしもとばなな

文庫版まえがき

身体の時代であります。

このことは、この本の初版時（一九八九年）当時よりもますますはっきり表れてきているといえます。

今日の時点で振り返るとよりはっきり見て取れますが、一九八九年よりさらに二十年前、一九六九年〈アポロ十一号で月に人間が立ったとき〉＝〈月面からの「宇宙船地球号」を眼にしてしまったとき〉を転回点として、大げさな言い方をすれば、人類の意識の潮流の前線は、それまでの「遠身的」拡大志向から反転し、「求身的」志向に舵を切ったということができると思います。

六〇年代、月面を目指す「アポロ計画」はJ・F・ケネディア（＝輝ける最先進国アメリカ）の「ニューフロンティア政策」のスピリットそのものでした。少くともその時代、ビートルズを聴けるような社会環境にいた世界中の青少年は、宇宙へも無限に拡大して行く「輝ける未来」をイメージしていました。「月面」は、永遠の拡大再生産という当時の時代精神にとって究極の「フロンティア」でありましたが、そこに実際に到達してしまったことそのものが、その時代精神のデッドエンドでもありました。実際「輝ける未来」は、六九年以降急速に思い描けなくなってゆき、関心は遠大なことよりも身の回りのこと、「自分」のこと、身体のことへ——意識のベクトルが反転したのです。それは当然「拡大志向」の限界が、エコロジカルな観点からも明らかになってきたということとも連動しています。「あのころ」、六九年を中心とする社会の大きな変動の渦のただ中であがいたり闘ったりしながらも、何かが違うとどこかで感じていた「何か」がよりはっきり身体感覚の中にあるのが今日だと思います。

それにしても、医療技術が飛躍的に進歩している時代に、「時代遅れ」とも見える「整体」や、ヨーガ、古武道、気功などのボディワーク、食養法、ダイエット、「民間療法」やサプリメントなど、身体に対する関心が、以前にも増してますます高まっているのはどうしてでしょうか。

一九八〇年代、分子生物学という分野が一般にも注目されるようになり、以来「生命操作」の技術は革命的に進化し、当時生物学用語に過ぎなかったＤＮＡという言葉は、いまや日常語と化し、知らない人はいないくらいです。さらに今日の医療技術の最前線は「臓器移植の時代」から細胞や組織、臓器までも体のパーツとして生産し、体を修理再生しようという「再生医療の時代」に向かおうとしています。生き物を外部からコントロールする技術がどんどん高度になってきているわけです。

ところが、私たちがそれで安心して生きられるかといえばそうではなく、むしろ「健康不安」は増しています。「健康情報」も、与えられるほどさらに不安になります。本来、自律的に生命活動を維持していくということが、生き物が生き物である所以《ゆえん》でありますから、この状況にどこか違和感を覚えてしまう。つまりは生き物としてのアイデンティティというべきものそのものが揺らぐことに気づかざるを得なくなっているということです。

外部から生命をコントロールできる可能性が高まるほど、人間も生き物であるということ、生き物として身体の内側から自律的にバランスを取ることの意味の大きさに気づかざるを得ないということです。

さらに外側から与えられる生命の保障が大きくなればなるほど、そして医療をはじめとする高度なテクノロジーに依存する社会環境になればなるほど、かえって生きることそのものの充足感が不確かに、不安定になっているように見えるのです。

初版から十七年たって、あらためてこの間の身体の状況をふり返って見ると、本書でとり上げている若者の身体の過敏化（見方によっては軟弱化？）はより進行しています。ひととのコミュニケーションにも、より気を使うようになり、「気疲れ」しやすくなっているといえます。一方で、「頑張る人」の鬱病も特別な「病気」ではなくなり、カジュアル化しました。

病気とまでは言えないが、どこか具合悪い、不安であるということが、より普通のことになってきています。

生きるということの確かさを、身体の中から感じたいという要求がより高まっているということがこの二十年近くの間の時代の流れとして感じられます。

私は整体師であり、この本は当然整体のことが中心に書かれているわけですが、近代医学が間違っていて、整体が正しいということを言いたいのではありません。もちろん医学が進歩することそのものが悪いと言いたいわけでもありません。

むしろ医療をはじめとする高度なシステムに身体が守られている（支配されている？）社会であるからこそ、身体の自発性＝生き物としての元気の元を活かしてゆく技術や考え方がいっそう求められていると思うのです。


それからこの本には「整体の奥義」のようなものが書いてあるわけではありません。「奥義」というべきものがあるとすれば、日常生活のなかの人と人の何気ないコミュニケーション、身体と身体の間の一瞬の共鳴、響き合いの中にあるのです。

整体はそれを技術化し、拡大し、わかりやすく、手ごたえのあるように変換しているだけのことです。

いま生きていることそのものの奇跡が垣間見えれば、あるいは少しでも感じ取っていただければ幸いです。

著者

〔人体骨格図〕

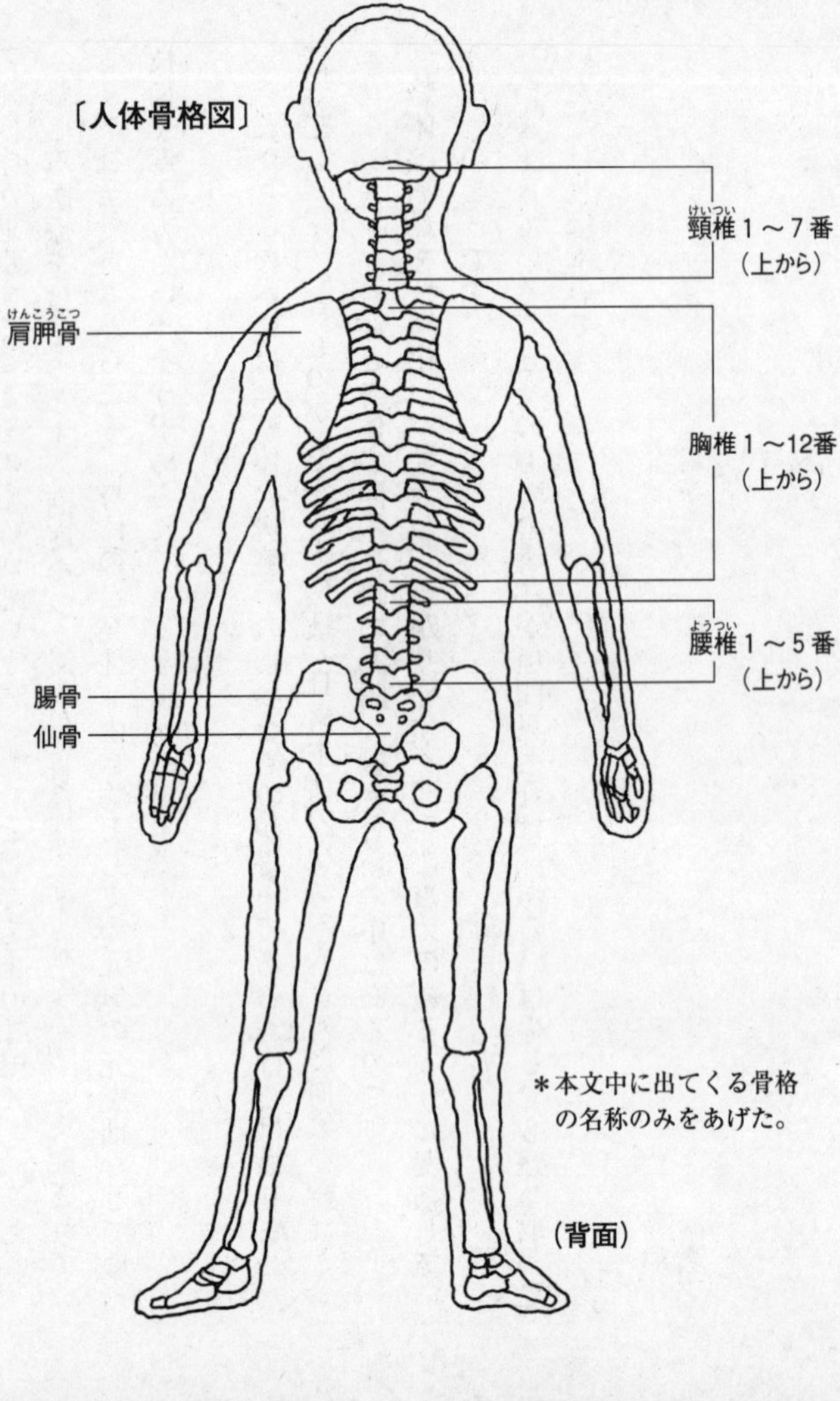
頸椎《けいつい》1～7番
（上から）
肩胛骨《けんこうこつ》
胸椎1～12番
（上から）
腰椎《ようつい》1～5番
（上から）
腸骨
仙骨
＊本文中に出てくる骨格
の名称のみをあげた。
（背面）

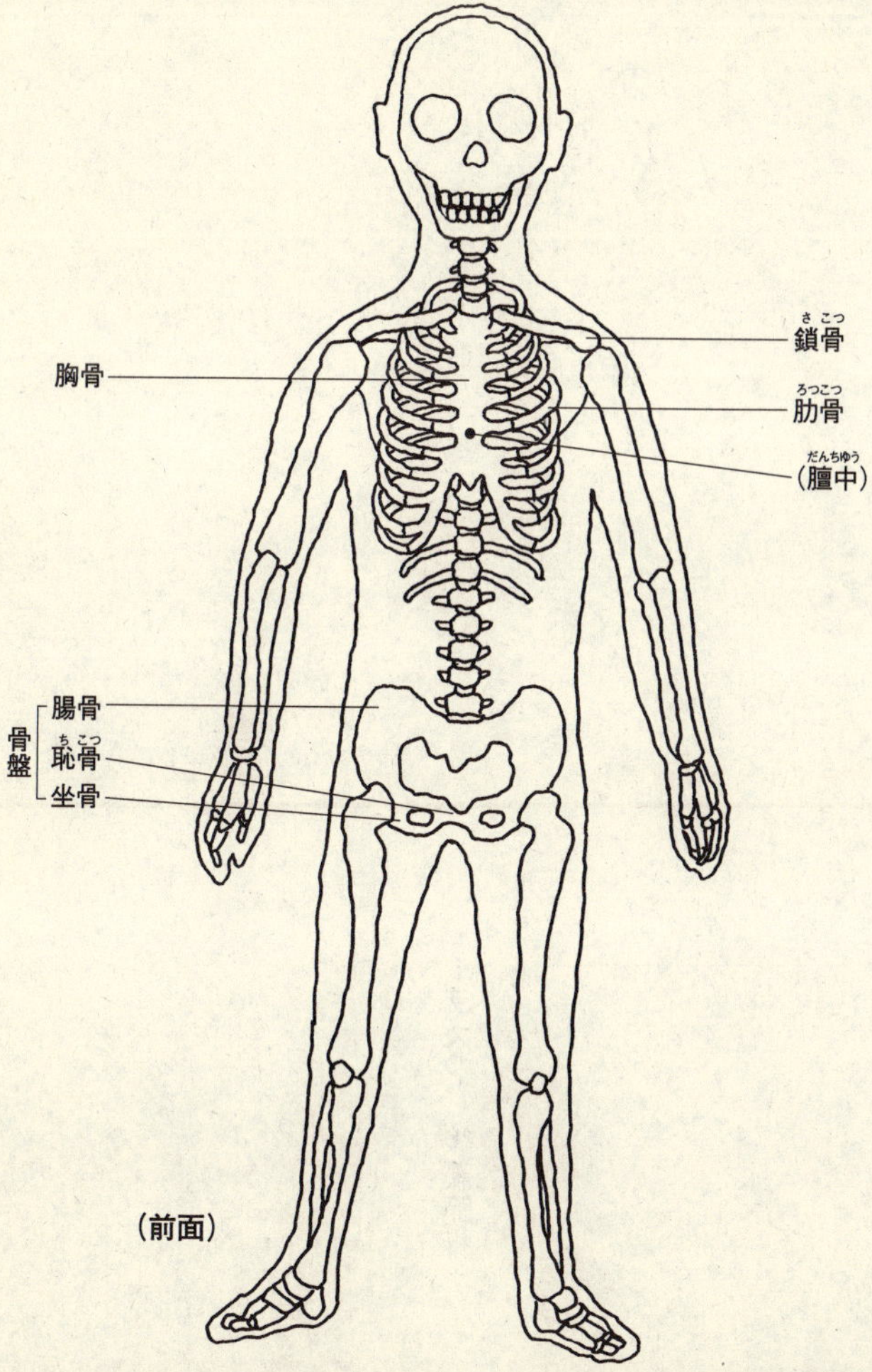
鎖骨《さこつ》
胸骨
肋骨《ろっこつ》
（膻中《だんちゅう》）
骨盤
腸骨
恥骨《ちこつ》
坐骨

（前面）

イラスト　後藤範行

整体から見る気と身体

1

体から聞いたこと

「整体」と出会う

——片山さんは、川崎で「整体道場」を開いていらっしゃいますが、どういう人たちが通ってくるのでしょうか。

多いのは、ひとつは痛みを訴える人たちです。どこかが痛い。首が痛い、頭が痛い、腰が痛いとかですね。そういう人たちの場合でも、結局は精神的なことに結びついていて、実は原因としてはその方が大きくて来ている人もいます。気分がたいへんよくなるということで来ている人もかなりいます。医学的には何でもないんだけど、とにかく症状があちこちに出る、過敏な人ですね。

そういう痛みと不安定な症状の人が一番多い。それ以外に病名で言えば、じつにさまざまな人がいます。リューマチもあるし、脳障害の人もいます。また、便秘するとか生理が来ないとか、子供がなかなかできないとかですね。病気という面から人をみているわけではなく、「気の流れ」から人を主にみているので、病気の種類ということは主要な問題ではありませんが。

——どういう経緯で、整体の仕事をはじめられたのですか。

十年あまり前になりますが、僕自身がいわゆるギックリ腰になって、現在一般的に

「整体」と思われている、骨をカクッと動かすタイプの治療術をうけに毎日行ったんです。その頃はそういう療法を全然知りませんでしたけれども、自分が待っている間に人がやってもらっているのを見ていると大したことじゃないように見える。これなら自分でもできると思って、自分の家族にちょっとやってみると、わりに簡単にできるんですね。結構できるものですから、そのうち、ちょっとみてくださいという人が来たりして、やってみると腰が痛いのなどよくなってしまう。それでだんだん、いろんな人に頼まれればじめましてね。その頃はまるっきり素人ですから、とにかくそういうようなことをやればいいんだということでした。今考えたら目茶苦茶なやり方だったと思いますけれど、でもとにかくよくなるんです。

「気」を感じる

ところが、そうじゃないやり方になるきっかけとなったのは、僕の家の近くの脳障害の子をみるようになってからです。骨をどうこうするというのはこの場合通用しないんです。それで、「気を通す」ということの知識はあったので、やってみると気に反応する感覚があるのが、だんだん分るようになってきました。もうひとつは、うちの子供が顔中イボだらけになったんです。最初はほっといたんですけど、あんまりひどいんで保育園から何とかしなさいと言われてしまいまして、医者の所に何回か行ってドライアイスで固めて取るんだけど、またすぐ生えてくるんです。ミズイボじゃなくて普通のイボです。それを、そうっと触るか触らないかぐらいの程度で二回くらい手で触ったら一週間ぐらいで全部取れたんです。それで、自分の手の平を使って相手に「気を通す」ことで、そういうことができるんじゃないかと、少し確信が生れてきました。

——ポロッと取れるんですか。

ええ、カサカサになってきてポロッと取れました。一番大きいのをひとつやったら、全部取れたんです。その頃は知らなかったんですけど、これは催眠による暗示でも取れるのです。どうして取れるのかは医学的には分らないようですけど、昔から「おまじない」などでもとれることはよく知られています。実は誰でもやればできることなんです。まあそのようなことがきっかけとなって、「気の流れ」みたいなものがだんだん摑《つか》めるようになってきたわけです。

整体は矯正か？

整体というと、例えば背骨がずれていると反対側から何かのショックを加えてやった時に元へ戻るとか、あるいはぎゅうっと押して元へ戻す、矯正をするものだというふうに、僕も考えていたんですけど、実際は、触っているだけで勝手に動くんです。それがはっきり分るようになったので、だんだん矯正みたいなことをやらなくなって、今のやり方に近いものになってきました。

もうひとつ、考え方としては「操体法《そうたいほう》」という、橋本敬三（一八九七―一九九三）さんという人のやり方があります。それはいきやすい方向へ体を動かして、ある所でとめておいて、ふっと力を抜く。動かしやすい方向にもっていくという考え方ですね。法則としては、よく考えてみると簡単なことで、筋肉を動かしやすい方に動かすということは、筋肉の縮んでる側に、より筋肉を縮めるように動かすということなんです。ぎゅうっと、縮んでいる筋肉をより縮めて、ふっと力を抜くと、前より緩むという原則なんです。体勢と気の流れの関係でいえば、一方に筋肉が縮みたがっているわけですから、筋肉をもうちょっと手助けしてより縮める方向においておくと一番本人の楽な関節の位置があるはずで、そこの所を手で押さえておくと、気がよく流れてくるはずなんです。やってみると実際そうなります。

あとでだんだん分ってきたんですけど、関節のズレと反対方向にやっても流れのいい所がある。そういうやり方でやるようになって、変わってきました。一番気の流れのいい体の態勢とか位置があることに気がついて、今のやり方に近くなってきたのです。

手で押さえて気を流すといっても、さっき言った脳障害の子とか、赤ちゃんの場合、触れられることをいやがりますから、実際には触れないんです。離れた位置からやります。その離れた位置からでもできるということが分ってきて、さらに最近分ったのは、離れた位置というのにも、法則性があって、一番いい場所がある、また方向もあるということです。どの方向から手を出した場合に通りがいいかということがあります。そういうことがだんだんみえてきました。特に脳障害の子なんか素直ですから、普通の人のように余分な考えはない。赤ちゃんもそうです。小さい子でも、言葉をよく喋れるようになる前の子ですと、後ろからそうっと手を近づけても、後ろを振り向いたり、手を後ろにやったりするとか、必ず反応します。もともと誰でもそういう感受性は持っていたはずなんですけど、あってもだんだん鈍くなって分らなくなるんですね。

技術以前の本質的なこと

こうした過程を通って僕自身のどこが変わってきているかというと、体の読みが変わってきている。たくさんみてくると、読みができるようになる。その読みが深くなって、やり方もだんだん変わってくるんです。しかしやり方は変わってきても、本質的には変わっていないと思います。というのは技術とか何とかの以前に、相手と出会った時に決まっている部分が九〇パーセントぐらいあって、その時にすでに相手との交流ができてしまっていて、一見目茶苦茶なやり方でも何とかなってしまうところもかなりあると、あとから分ってきました。その時は、そのやり方が絶対正しいんだと、技術の問題として考えていたけれど、今ではそれ以上に、そういうものじゃない部分が大きいという気持が強い。そこらへんが一番、本当は分りにくいところです。なかなか標準化をしにくいところがあります。やる人やられる人の組み合せによって、対応がすごく変わってきてしまう。こういうふうにやればいいんだというのが原則的には定式化できても、実際には変わってきてしまいます。

医学というのは器官別とか病気別とかで専門が分れていますね。しかし、整体のような場合は人間相互の組み合せの方が比重としては大きい。技術ももちろんありますが、それからセンスというのもあると思うんですが、人間の組み合せみたいなものがかなり大きなウェイトを占めている。それが目に見えにくい部分ですね。

体がじかに教えてくれる

初期のころは整体を自分の仕事として本格的にやるなんてことは全然考えてもいなかったんです。だんだんいろんな人を見ているうちに、やらなきゃならなくなってきたんですね。それで最初は症状が治ってゆくのが面白かったんですけど、そのうち人間の体を読むのがだんだん面白くなってくる。もうひとつは、人をみていると自分が分ってくることが多くて、それが結局面白いところだと思います。それと、体をみていて全然関係ないことが分る場合がかなりあるんです。そういうことも面白い。

　論理で考えられない面があるのが、逆に言うと面白かったのかもしれません。こういうふうに考えたから分るというんじゃなくて、分ってしまうという感じです。治すというよりも、治ってしまうというところがです。その間にものすごくジャンプする訳の分らない部分があって、それで変わってしまうこと自体が面白い。そういう意味では整体というものには、一応の理屈はあるけれども、本当はよく分らないんだということを前提にしているんですね。医学というのは分ることを前提にして、治療技術の及ぶ範囲も明確ですが、そうじゃなくて、**分らなくて当り前**で、分る方がおかしいんだというのが前提になっている。そのへんが医学と違うと思います。

脊椎療法や整体への一般的理解

――一般にいう「整体」や「脊椎療法」の原理は何ですか。

それは、脊椎の所から神経が出ていますから、背骨が狂っていると神経を圧迫して痛い、自律神経なんかにも影響がある。それで、その狂いを正してやれば治るんだということです。理論的にはそれもすっきりしている。すっきりしているんだけど、実際にはその通りじゃないところがいっぱいあって、脊椎のズレが大きいから痛いかというとそうでもない場合もあるし、筋肉がうんと張っているから痛いかというと、そうじゃないし、ちょっとしか張っていないのに痛いという人もいるし、頭蓋骨なんかでも、うんと硬いから、緊張が強いから、痛いかというとそうでもなくて、ほんのちょっとしか緊張していないのに痛く感じる人もいるんです。つまり狂いが大きいから病気かというと、そうでもない。理論的に間違ってはいないし、わかりやすいんだけど、必ずしも合ってもいないというところなんですね。ですから今、カイロプラクティック等の療法の中でも多様な考え方がでてきているようです。骨の矯正をしゃにむにやるのがいいんじゃなくて、弾力をつけるだけでもいいんじゃないかという反省が実際にあると聞いています。

操体法とは？

――「操体法」というのはどういうものですか。

一番元は、高橋迪雄《みちお》さんという人がいて、「正体術」というのをやっていたんです。それを橋本敬三さんというお医者さんが見て、それが一番いいやり方なんじゃないかと考えた。体操に近いんですけど、足を持ちあげたりして、野口晴哉《はるちか》さんの整体の体操にも近いですね。野口さんも高橋迪雄さんの技術についてはよく知っていて、昔の本に書いています。そのやり方の原則は、動かしやすい方向に体を持っていって、ある部分までいった所で急に脱力すると緊張が緩《ゆる》むということです。それをもっと体系だてたものです。体の歪みというのは筋肉の緊張によって起こるから、そのバランスをとってやればいろんな所がよくなるはずなんです。だから「操体法」というのはすっきりしているんです。

「野口整体」のこと

――片山さんの場合、野口晴哉さんの整体法との絡みといいますか、それはどういうふうに。

野口整体については、知識としてはもっていました。実際にいろいろ疑問にぶつかると、技術的にそれを乗り越えたいと誰でも考えますね。どういうやり方があるんだろうかと探し回る。野口整体だけじゃなくて、アメリカ由来の手技療法であるオステオパシーだとかカイロプラクティックだとか、何とか療法だとかいうのを探して、本を読んだり、直接話を聞いたり、その間に勉強するわけですね。もちろんそれをそのまま取り入れるんじゃないですけど。

結局、その中で野口さんの考え方というのが一番ラジカルというか、徹底しているし、本を読んだだけでは技術的なやり方は分らないんですけど、思想的にすごいなと思いましたね。ですから野口さんに直接教えてもらったわけではないし、野口さんの整体協会の誰かに教わったということでもないのですが、ただ僕の所には整体協会に行っていたという人がよく来ます。野口さんにじかに「操法《そうほう》」*1を受けていた人もいますし、そういう人を通じて間接的には結構いろんなことを知っているつもりです。ただ整体協会にもいろんな先生がいて、その人たちはこういうふうなやり方をしていたと聞きますが、やる人によってずいぶん違いますね。

＊1操法　「野口整体」では手技の技術そのもの、またその技術を施すことを「操法」と呼ぶ。

病気は経過するもの

――野口整体については実際それをやっている人も自分であまり説明できないところがありまして、外側から見ていて非常に摑みにくい点があります。ひとつ概説していただけませんか。

一般的には、野口整体というのはあまり知られていないようですね。「整体」というと、だいたい骨をカクッと動かしたりする、カイロプラクティックのようなものが整体だと思われている場合が多いですね。そういう「整体」も知らないという人の方がもっと多いようですが。最近テレビなどで普通の人が知るのは、野口整体じゃなくて、いろいろな方法で体の歪みを矯正して治すというもので、このことを整体だと思っているんです。

野口整体の場合には、僕が外から見てそう思っているんですが、整体協会の人はまた別なこと言うかもしれませんけど、一番の思想的な核になるのは、**病気は治すものではなくて、治るものである、経過するものである**という考え方だと思います。経過することによって、体をただ治すんじゃなくて、**より元気にする**という考え方で、それを、気を通したり、「活元《かつげん》運動」（後述）とか、そういう形でやっていきます。

愉気《ゆき》・活元運動・体癖《たいへき》

実際の基本になるのは「愉気」という感覚ですね、「気を通す」という考え方。それと「活元運動」、あともうひとつは「体癖」(巻末表参照)という考え方、この三つになると思います。

愉気というのは、野口整体に限ったわけじゃなくて、一般的に言えば手当《てあて》療法というか、手を使って、体を無理に動かすんじゃなくて、ただ触るだけで、あるいは離していても、それによって体の何かのバランスをとるという考え方です。気を通して、その流れの状態をよくしてやることによってバランスをよくしてやるということです。

活元運動というのは、もともと気を通していると、本人が意識していないのに体がいろいろ自然に動いてしまうということです。それを野口整体の場合は、「活元運動」として目的意識的にやっている、活元運動を起こすことを意識的に訓練するんです。その練習も「活元運動」と呼んでいます。

これは実際にやっている人に聞くと、本当に自分は活元運動をやっているんだろうかと疑問をもつ人が多い。素直にこれは活元運動だと思いこめる人もいますけど、そういつも、そういう状態になっているんじゃなくて、おそらく、外から見ていても、自分の感じからいっても、活元運動をしているという状態で意識が実際にはあるわけですから、何十パーセントかの活元運動と何十パーセントかの意識的な運動が混じっていると考えていいんじゃないでしょうか。それでだんだん素直になってくると、本当にそういう状態に入ろうと思った時に、体がちゃんと動いてくるようになる。

——例えばどんな動きですか。

それにはいろんな動きがあります。例えば、野口整体の活元運動を見ていると普通座ってやるんですが、体がグニャグニャ揺れるとか、回転するとか、そういう動きが多い。例えば中国でも、「気功法」に「自発動功」というのがありますが（普通立って行なう）、それもやはり活元運動なんです。それはまた動き方を見ていると少し違う感じもしますが、民族的違いが出てくる面もあるのかも知れません。

同様なことを宗教的な世界では「霊動」という場合が多いんです。これも昔からあって、話にはずいぶん聞きます。例えば座っている状態で、ある状態になると体がピョンピョンはねてしまうとか、浮いたとか、ごろごろ転がったとか、あるいは泣きわめくとか、そういうものがあるんですね。

バランスをとる力がある

——それは何のためにやるんですか。

もともと活元運動というやり方で自然に、体がバランスをとる力を持っているんですね。霊動というのは特殊な霊的な状態にならないと起こらないと規定されているわけですが、野口整体の場合はそういう特殊なことではなくて、普通でもやっていると考えるところが違うところですね。例えばあくびもそうですし、寝返りもそうです。

野口さんは寝相を見て体のバランスを修整する体操とかを考えていったんですが、普通の生活の中で、実際には誰でも無意識にやっていることがずいぶんあって、今言ったあくびとか寝返りをうつとかいうのもそうですし、もっと無意識に何かをふっとやってしまうというのも、広くとれば活元運動といっていい。衝動買いをしてしまうとか、美味しいものを食べてしまうとか、どうしても掃除がしたくなるとか、無意識の動きによって、体を整理しているということです。狭い意味でとれば体自体の自動的運動によって、体のバランスをとることです。

説明としては脳から脊髄《せきずい》を通る神経の系統に、意識的な動きに関係する錐体路《すいたいろ》系というのと、もうひとつ錐体外路系というのがあります。外路系の方は無意識に脳から行く命令系統です。脊髄反射というのは脳まで行かないで起こってしまう反射で、それとはまた違うんですけど、無意識の動きがもともと人間の体のバランスをとるように組み込まれているという考え方です。

生活の中の活元運動

もっと広くとると、どっかへ行きたいなと思うのも、体のバランスをとろうとする表れで、人間の行動全体を活元運動と、それを抑えてしまう意識の動きというふうに分けて考えてもいいんじゃないかということです。

本当にラジカルに考えると、そういうことになる。全部の行動を無意識的な動きと意識的な動き、あるいは無意識が意識の中に影響して出てくる意識的な動き、と考えていいんじゃないでしょうか。そういうところをよく観察して、どういうふうに生活をするかを考えるということも、野口整体の考え方の内だと思うんです。

例えば、何か楽しいことをやるときには、「丹田《たんでん》」（下腹部、二六六頁図1参照）に必然的に力が入って、いやなことをやろうとするときは「鳩尾《みぞおち》」（上腹部中央）に力が入ってしまう。これは誰でもあるわけですね。花粉症でも楽しいことをやっているときには出なかったりしますが、喘息《ぜんそく》なんかでも同じです。そういう精神的なもののバランスというのも、その内のひとつだと思います。

個体差という発想

体癖というのは、個人差を整体的な手法でとらえていったものなんですけど、おそらくこれだけは、野口さんの特異な発想だろうと思います。もっとも、他にも、亀井進さんという人とか、自分たちの方がオリジナルだといっている人はいました。それは「体型」という言葉を使って、分類は似たような分類をしています。ただ、分類の仕方の考え方が違っていて、僕から見ると、少し考え方が硬直している。野口さんの考え方には、もう少し弾力があって、体癖というのは色彩でいうと多様な色彩の素になる原色という感じです。例えば赤と青を混ぜると紫色になりますから、元の赤と青とは全然違うものになる。そういう意味で、体癖が二つ以上、傾向が混じり合うということもあるし、それは弾力のあるものなんですね。

一応、表面から分る形では、両足にかかる体の重心が、人によってどういうふうに移動するかということで体癖を分類しているんですね。重心が前にあるとか、後ろにあるとか、内側にあるとか、外側にあるとか、片っ方は後ろなのに、片っ方は前だとかということです。そういう前後、開閉といった五つの型に分類して、それに「過敏」と「遅鈍《ちどん》」をプラスしています。さらにそれぞれを偶数体癖と奇数体癖に分けて十二種類にしているというところも面白い。奇数体癖がエネルギーの「昇華型」で、偶数体癖がエネルギーの「凝固型」なんですね（詳細は巻末の「体癖表」参照）。僕の考え方で言うと、奇数体癖というのは何かに集中したり、何かをやったりすることで主体的に発散できるというもので、エネルギーを集中することによって発散させる。偶数体癖の方は外側の条件によって発散の仕方が左右されるということです。自分が何をやったからということよりは、周りがどういう反応をしたかとか、どういう環境にいたかということで、発散の仕方が変わってきてしまうという傾向が強いですね。

無意識の領域

それは、人によって反応の仕方が違うということの説明には、なり得ていると思います。人によって感受性が違ったり、行動パターンが違ったりするのは、生れつきのものであるということです。例えば外側からいろいろ与えられる教育とかしつけとかいうものでも、それを受け止める側の感受性によって、同じことをされても全然受け取り方が違いますから、形成のされ方が違う、そういう意味で両方で人格が形成されているという考え方ですね。外側から与えられたものと、自分がもともと持っているものとが混じりあって、それで人格というもの、意識というものが作られていく。

体癖というのは、そういう意味では無意識の領域のものと考えていいと思います。無意識の動きが一番強い、意識的な動きではこれを本質的には抑えられないということです。無理に抑えると病気になってしまいますから。身体の感受性の傾向、行動パターンの傾向、あるいはこういうふうに疲れやすいとか、こういうふうな病気のなり方をしやすいとか、そういう傾向を、医学的な分析じゃなくて、身体の動きのパターンからみていくひとつのやり方だと思うんです。

見る人によって変わる

——そういう場合に絶対的な基準というか、普遍的な基準というのはあるわけですか。

ある程度はあるんです。さっき言ったように体重がこっちの方に偏っているとかですね。だけどそれも動きますから、体がねじれている時に見ればそういう出方をするし、緊張していれば前に重心がいきますね。それだけで、完全に客観的に見られるかというと、ずっと見ていれば傾向はある程度読めるかもしれませんけど。その動いているどこらへんの所を見て、その人の体質だとみるかによって、見方がかなり違ってしまうかもしれないのです。見る人によっても、見る方向が変わってしまうというのが面白いと言えば面白いですね。人に対する観察の仕方とか見方に自分自身の体癖が反映してしまう。整体という行為そのものも、そうなんですね。

例えば血液型みたいにはっきり医学的に動かないものを土台にしている場合には、元ははっきりしているんで、そういう分析の仕方をしてもある程度は面白いでしょうけど、どうも硬直している。もっと体の中にはいろいろな要素があるのに、それだけを取り出しているわけですからね。血液型もひとつの要素には違いないけれど、それだけで決定できるかというと、ある方向でしか決定できない。そういう意味では、最初からもうちょっと軟らかい枠組で考えた方が面白い。

――体癖について、まとめられたのは野口さんだけど、自分との対応の形で主観的に書かれているんですね。

だから不満のある人もいるようです。例えば「消化器型」というと野口さんはほとんど目の敵みたいに書いていますから、ある消化器型の人が野口さんの体癖の本を読んで何か他の体癖に変えてくれませんかという人がいました。ところが、そういうことを言う人が消化器型だといえるということなんです。

体癖には同じ人でも波があって、ある傾向の強い時と、そうじゃないのが強い時とがあり、エネルギーの強い人ほど落差が大きいんです。だから自分でも二種類の傾向が体に強く出て、どっちが自分の性格なのか分らないということがよくあります。

「体癖」はパラメーター

もうひとつは、体癖の分類が絶対的な枠組かというと、そうじゃなくて、どの人もそれぞれの体癖をパラメーターとして持っているんです。ただ偏り方が少いか多いかということです。例えば左右に重心が偏る傾向をある人が強く持っているとしても、前に重心がかかる傾向をその人が持っていないかというと、持っているんです。ただ、どれが一番色として強いかということなんです。何色かの色があるとして、どれが濃いか薄いかというのがあって、それを総合したものがその人の体癖だということですね。その中で、例えば見る人によって違うと言ったのは、好みがあるから、どこかを強く見たいという傾向があります。それを強く見てしまう。これも避けられないことで、だから見る人によって変わってしまう。だから時間経過による変化があり、人によって見え方に幅がある色調のようなものと思えばよいと思います。人それぞれが持っている色調ですね。

体癖に一種から十二種まであるとしますね、一種というのは「頭脳型」で頭にエネルギーが上りやすい傾向があるんです。一種と二種は共存はできないですね、同じ「頭脳型」の中では共存できない。例えば「頭脳型」と「左右型」はひとりの人の中に共存できるんです。全部の傾向を平均的に持っている場合だってあります。どれかがとくに強いということがなくて、ある程度は偏っているけど、そんなにはひどく偏っていない。それと、その時のエネルギーの状態によって偏っている時と、あんまり偏っていない時があって、エネルギーが強いほど傾きが大きい。何かに集中するということは、傾きを強くするということですから、何かの方向にすごく集中してエネルギーを発揮するということは、その時にバランスを強く崩しているといえます。集中して発散してしまった場合にはバランスがまたそこに戻るんですね。

「健康」にも個性がある

――今うかがった体癖という考え方と、先ほどうかがいました愉気や活元運動との関係はどうなっているんでしょうか。

気の流れということでいうと、その気の流れの偏りが体癖なんです。頭の方にすごく流れやすいとか、左右でいうと右と左に違って流れるとか、そういう傾向があるというのが体癖で、活元運動というのは体癖の偏りを運動によってバランスをとるということです。いずれにしろ、気の流れというのは、ある所に弱いとか、ある所に強いとかあって、その弱い所が強くなって、強すぎる所は発散していきます。それもしかし幅がありまして、例えば絶対に左右が揃っていなければならないということはない。その人が元気ならいいんです。それはその人の体癖傾向として許されるものだということです。

普通他の健康法には絶対的なモデルがあって、骨が曲がっていちゃいけないとか、絶対に偏っていてはいけないとか、理想像みたいなのがあって、それに近づけるんだという発想がありますが、そこがこの体癖の発想はかなり違っていて、その人が本来持っているものだったらそれでいいじゃないかという考え方なんです。偏りにかなり幅を持たせて、その中で運動しているんだから、それで十分バランスがとれるんならそれでいいんじゃないか。絶対的基準を、どこかにおくんじゃなくて、一人一人のいい状態があるということです。

その人の体質を生かす

――野口さんの考え方と片山さんの考え方に、何か違いはありますか。

もちろん、野口さんの足許にも及ばない点がたくさんあるのですが、あえて言わせていただけば、野口さんの考え方にはおそらく、こういうふうな体にするんだという意志がかなり強いんだと思います。こういうふうな状態を健康だというんだ、そういう体にするんだという意識が強いと思います。

僕は、そういう強い意識があんまりなくて、その人がある体質傾向をもともと持っているんで、持っているふうになればいいと思っています。ある程度何かをしますけど、それはきっかけを作るに過ぎない。例えば歩いていて、もう少し先に行ってたとしたらどぶにはまってしまうのに、何か障害物があって左に曲がったとしますね。それで無意識にいい方向にいってしまう。そういうことでいいと思うんです。意識的に、危ないからこっちに行った方がいいよ、というふうに注意したり、指導したりしてやっているのかというと、そういうふうにはあんまり思えない。それはもっと何か深いレベルで情報交換しているのかもしれないですね。野口さんの方がもっと意識的で指導者的だと思います。

邪魔を取り除く技術

――無意識というのは、本来はもともと好ましい方向に動くようにできているということが前提にあって……。

そうですね。

――それが社会の中に置かれた時に、逆にむしろ外側の方から、いい方に行くはずの無意識を鈍感にしている、そういう考え方ですね。

本当は自然にうまくいってしまうのが当り前で、それをどっかで邪魔しているものがあるんで、邪魔しているものの方をちょっと取り除いてやると、その人が素直にやって無意識にうまくいってしまう。例えば、車で走っていて、いつ横から車や人が飛び出してくるか分らない。それを無意識に、ぶつかりそうになっていることも知らないで通っちゃっている人もいるわけですね。一方、ぶつかりそうになったところで、慌ててブレーキを踏んでぶつからなかったという人もいて、逆にぶつかってしまう人もいる。ぶつかる寸前でブレーキを踏んだ人は、自分は運がよかったとか、自分は行動するのが上手だとか感じる。だけど本当に運のいい人は無意識に通っている。

本来は、そういうふうにできてもともとなんですけど、それを何かが邪魔している。それを理屈から言えばこう行ったらここはこういう危険性があるから、ここは注意しなければいけない、注意するほどいい、というふうになりがちですが、そういうふうにしないでもうまくいくようになるのが一番いいんだということです。

僕自身の整体の考え方を定義すると、人間が成長して老化して死ぬプロセスで、本来はスムーズにいくのを邪魔している何かを取り除く技術だと思っています。それは、何かひとつでも取り除ければ、それだけ楽に生きやすい。人間の場合は、生れた時に生理的に不完全な状態で、一人では生活できないようにできてますね。その生理的に不完全な状態を何かで埋め合せようとして、いろんなものを、自分を保護するものを自分の周りに作るんですね。人間は生れた時からそういう矛盾を持っていて、それはどうしても避けて通ることはできない。しかし気のレベルでは完璧な状態がありうるんで、そういう状態にしておけば、生理的には不完全な状態ではあるんですけど、自然にうまくいくことができるんではないかということです。

生理的不完全さを生きる

——生理的に不完全とはどういうことですか。

人間が一番、生れてから一人で歩けない時間が長い。しかも食べるものも自分で判断できない。これは毒だとか大丈夫だとか分らない。他の動物だったら、まず考えなくても食べられるわけですけど、人間の場合はそれすらもできない。教育というものがないと、生きていくこと自体ができないんですね。そういうのを、生れつき持った不完全な状態だといえます。知能があるということは、不完全だからあるので、完全なら何も考えないで生きていけるはずなんです。

たぶん、最終的に脳が左右の対称性を失ってしまったということが一番の大きな問題で、もうすでに生れた時から野性で生きるというのが失われているんです。だから自分を保護する人工的な環境なり、文化的な枠組なりを作らないと生きていけない存在なんです。そうでなければ、整体なんていうものもいらないし、医学も生れてこない。自分の命を守ろうなんて発想も出てこないし、長生きしようなんて発想も出てこない、宗教も出てこないでしょう。

日常生活そのものが体のバランスをとる

――野口整体では活元運動など、組織活動という形でやっていますね。それは何か野口整体の思想に関わる本質的な問題なんでしょうか。

そうではないと、僕は思います。組織になると、そういうふうにしないとやっていけない、それだけの問題だと思います。僕は活元運動に関しては、意識してやってもらうことはやっていません。ただ自然に出てきてしまうことはよくあります。それはそのままにして、抑えないようにするだけです。予備知識なしに活元運動が起きると、本人はビックリしたり怖がったりするので説明はします。

それはまた、日常レベルの行動の中にそういう面が出ていますから、それをこういうふうにすると楽だとかいうレベルで言うことにしているんです。例えばじっと一つのことに長時間集中している方がいかにも集中しているように見えますが、中にはあっちをやったりこっちをやったり、いくつも同時並行でやっている方が集中できる人もいます。そういう人はじっとすわり込んでいるときはむしろ「煮詰って」集中できなくなっているときなのです。身体も意識も動き回って「落ち着きない」ように見えるのがその人の集中パターンなのですから、それを抑えたり邪魔したりしないで、活かすということです。本当は自分でも分っているんだけど、そうやっちゃいけないと思っている場合もあります。そういう自分の「パターン」がふっと思い出せれば、自然に日常生活そのものが自分のバランスをとるように変わっていくでしょう。

毎日の行動自体が、自分の体のバランスをとることになっているのが、一番いいんですね。だから本当は余分なこと、整体とかそういう技術をしないですむというのが、一番いい状態です。

2

気からみた身体

気の海に浮ぶ存在

——これまで、たびたび出てきました「気の流れ」とは大変重要なもののように思えます。気とは何かということをもう少し詳しく話してください。

ふだんよく、「気にする」とか、「気にかかる」とか、「気持がいい」とか「気持が悪い」とか、何気なく使っていますね。「気」をもうちょっと厳密に定義するとすれば、生を一番元で駆動しているものということだと思います。厳密な形でそれを手にすることができるかというとおそらく不可能だと思います。ただ、その何かがある、物でも、生きているものでも、気の場なり、動きなりが必ずある。何かがあるというのと気が存在するというのはイコールだという考えです。存在（生命・モノ）というのは気の海の中の一つの「文様《もんよう》」であると考えてよい。今日の科学的概念には当てはまりにくいが、「気」を科学的概念の中であえて言えば「エネルギー」「場」「情報」等を包括した「はたらき」であり、未分化な概念ではあるが、少くともそういうように考えておくと、便利なことはずいぶんあるといえると思います。

——それは人間だけじゃなくて。

ええ、人間だけじゃなくてどんな物でも。例えば生きていない物に、生きた人間が近づくと、その物はそれなりの反応をしているんです。逆に人間がある物の側によると、何らかの影響を受けるんですね。何かがあると、それだけでお互いに影響を受け合う関係だろうと思います。

意識と気

――では気の動きということは……。

意識をこっちの方に働かせるとか、視線をこっちに投げかけるとかいうこと自体が気の動きなんです。意識を集中するというのは、気を集中するという言い方をします。それそのものが気の働きだと考えているわけです。

――意識の以前に気という原動力みたいなものがあるということですね。エネルギーと考えてもいいのですか。

物理的エネルギーと、エネルギー（＝物質）を発生させる意志のようなものも含めて「気」と呼んでいいと思います。基本的には意識も気と同質なものと考えています。意識は気の流れのパターン（文様）とその変化の大脳での現出だと言ってもよい。そしてまた、生体は自ら気の流れのバランスをとる。言いかえれば気の流れの動的パターン・文様を維持しようとする意志を持っているということです。

体のバイブレーション

そして人間の体も、気のよく流れる状態が、よく生きている状態と考えていいと思います。そのとき、そこの所に波動があるんです。体の感じでは、例えば手なんかだと、手の平の所にじーんとする細かい振動がある。医学的には筋肉がいろんなふうに動いて、その結果細かい振動となって出てくると考えるんでしょうが。相手の体の一部（敏感な部分と鈍感な部分があるが）にこちらの手を近づけてやる、あるいは意識を向けてやるとその波動がはっきり出てくるんです。緊張したり、元気がない部分は、それがはっきり出てこない。その場合は体の中によく流れている部分と、流れていない部分ができてしまうことによって気のバランスが崩れているんです。流れがよくないということは、流れが強すぎて詰まったようになって硬直している部分と、また逆に流れが弱すぎて力がなく弾力を失っている部分があるということです。

気の流れの道筋――「経絡《けいらく》」

中国に「経絡」という考え方があります。体の中の気の流れの主な道筋として考えられているわけです。ツボは皮膚の表面から経絡に向かう連絡口と言っていいと思います。つまり穴《ツボ》から気を取り込んだり、発散させたりして気の流れを調節しているわけです。経絡は、皮膚に近い所にもありますし、体の中の方を通っているところもあります。一応、経絡は大まかにいうと奇経八脈というのと、十二経というのが考えられています。それは流れとしては一応別なんですけど、お互いに関連しあっています。

仙骨の基底部から背骨の中を立ち上がる流れ（ヨーガではスシュムナ管、経絡では督《とく》脈《みゃく》）が源流になって全身を流れることになりますが、流れがあるということは、ただ体の中をぐるぐる回っているだけじゃなくて、出ていかなければ困るんです。吐き出さなければいけない。それが全身を巡って末端から出ていく、あるいは皮膚の表面から出ていく。一方、体表の穴《ツボ》から取り入れるという働きもある。一般に、たくさん流れて、たくさん出ていくというのが元気な状態です。どこでも流れているというのが元気な状態で、経絡という狭い範囲だけじゃなくて、全部をよく流れている。あるいはひとつひとつの細胞をとってみても、どの細胞にも流れているということです。経絡というものは、その中で調節系としての気の流れを受けもっていると考えています。

「医学的身体」と「気の身体」

以上のようなことから、およその察しはつくと思いますが、医学的、生理学的身体とは全く別な見方として、気の身体としての体の考え方があります。もちろんこれは、今に始まったことではなくて、今いったように中国の考え方にもすでにあるんですが。ヨーロッパでも、そういう考え方がないかというと、それに近いものがやはり近代医学以前にはあって、それが近代医学的な身体像にとって代わられていった。それは近代社会の形成ということとも関わっているんだろうと思います。

これは、どこが大きく違うのかといいますと、例えば、医学的な見方では、体について皮膚の外側というものは問題にしない、皮膚から内側のことに限って問題を立てていくわけです。外側に対する広がりということになると、皮膚が何かに接触するということはある程度問題にする。そこで体の広がりということをあえて立てるとすれば、体の外に着るものがあって、その外側に住む家があって、その外側に社会があるという構造になる。そして、これが体とか身の周りに対する普通の考え方でもありますね。

これに対して、気からみた身体の場合は、外側との連続的なつながりがあるという考え方が、違うところだと思います。医学的な身体像というのは、完全に外側と切り離されている、もちろん外界から何かを取り入れたりとかいうことはあるにしても、切り離されているというところが、最も大きな違いだろうと思います。

共鳴する身体

気の身体というのは、例えば人間が二人、そばにいるとすると、互いに共鳴するということを前提として考えているわけです。そこで初めて、気を通すとか、気を送るとかいうことが成り立つということなんです。一般的な現象としては、あくびが移るとか、ある人のそばに行くとすごく緊張するとか、リラックスできるとか、そういう直接に体の感じで共鳴していく、変化していく。日常生活の中でもそういう反応がある。それだけでなくて、体の周りに着ているものがあれば、着ているものの色とか形とかいうものも、細かくいえば気の流れに影響するというところがあるんですね。家も、人間が住んでいれば、建物と人間との間に共鳴関係が出てきて、人が住んでいる家と、住んでいない家では、当然変わってきてしまうし、また、家の形によって、気の流れ方が変わってしまう。つまり体に家というものが影響する、逆に体の気の流れが家に影響するというようなことになると思います。

人間関係の中でも、お互いに気の交流というものがあって、一種のネットワークができていると考えていい。気の流れというレベルからいうと、有機的なつながりがあって、切り離すことができない、一人だけを切りとることができないんだということです。

もう一つ、共鳴ということでいうと、一人よりも、二人でいて、それでうまく気が流れる場合、つまり良い共鳴状態になった場合、一人でいる時よりも流れがよくなる。例えば、芸術家のような人たちが集まっているとすると、単にそばにいるだけでも、お互いに意識の密度が——意識と気の集中というのは同じというふうに考えていいんですが——自然に高まっている、あるいは意識のスピードといってもいいかもしれませんが、それが自然に高まることがある。ある一定の人間的なつながりの中から才能のある人がたくさん出てきてしまう、ということはよくあることで、そういうようなことも、気の交流ということの一つだろうと思います。

波長を合せる

もうちょっと具体的に、意識的に気を通す、気の交流を高めるという問題にいきますと、まず、共鳴ということには、共鳴しやすい状態と、しにくい状態が当然ある。共鳴しやすい人間的な組み合せ、体質的な組み合せと、共鳴しにくい体質的な組み合せというものもある。つまり相性といってもいいものもあるんですが、相性というようなものは、一応別にしておいて、どういうふうに気を合せる、通すということができるかというと、感覚的には、相手の波長みたいなものに合せるということです。それでうまく波長が合うと、お互いが一つの気の場みたいなものの中に入ってしまう感じになります。例えば、子供が発熱している場合、母親が抱いていると、母親側の熱も一時的にある程度上がる場合があります。そして子供の方は元気がでてきます。うまく共鳴状態になるとそういう変化を起こすのです。

共鳴ということは、別の言い方をすると、一種の波動みたいなものをお互いが持っていて、それぞれある種の波長みたいなものがある。それは硬直したものではなくて、弾力のあるもので、楽器をチューニングするように、あるいはハーモニーを作るというようなことと同じように、合せることができる、というふうに考えてもいいと思います。

体の中での共鳴

一人の体の中をとった場合でも、体の中のいろんな部分、器官、それがお互いに波長が合っている状態がバランスのいい状態、あるいは気の流れが非常にいい状態と考えていい。例えば、体の中にいっぱい楽器があるとして、それが全体として共鳴してよく鳴っているという状態というふうに考えていいんじゃないか。よく鳴っている状態というのは、逆にいえば、よく鳴っているものを、別の体に近づけてやると、相手の方もよく鳴る、お互いに体の中の共鳴の仕方がよくなるというふうに考えていでしょう。元気よく生きているというのは、そういうふうによく鳴っている状態で、それが完全にバラバラになって、互いの共鳴がまるっきり無くなってしまった状態が死と考えていいんじゃないかということです。

流れる感じ

体の気の流れをどういうふうに感じるかということですが、まず、波長が合ってくると、体の中の気の流れが強くなる。ということは、あったかくなると考えていい。まず体の中があったかくなって、体の細胞の活動が、その影響で高まると、手応えとしては、一つはあったかい。気を送る側も受ける側も、両方ともあったかいんですが、それと同時にバイブレーションを感じるようになるんです。細かい振動を感じるんです。それが場合によっては、筋肉がピクッと大きく動いたり、細かく痙攣するように動くこともあり、また、特に背骨を中心に大きな波動が出てくると、体が動き出すというようなことになるんです。この体が動き出してくる状態というのが、いわゆる活元運動です。

波動が運動として出てくると、流れがよりよくなってくるんですね。とくに、背骨の周りで、流れがちょっと詰まり気味になるような場所、あるいは流れがそこに強く集まってしまうという場所は、引っ張られるような感じがします。例えば背中で流れが強くなって、ある所で反応が大きくなると、そこの部分が後ろに強く引っ張られるという反応が出ます。首の辺りで反応が強ければ、後ろに傾いてしまう。腰の辺りで反応が強いと、腰が後ろに引っ張られて体が折れ曲がるような状態になります。

発散するとき

もっと流れがよくなってくると、今度は、どんどん皮膚の表面から気が発散していくという状態になって、皮膚の表面が涼しくなってくるんですね。そして体の中の流れと発散が拮抗状態になってくると、あったかくも涼しくも感じないということになる。詳しくいうと、皮膚の表面が涼しくて、体の中はあったかいという感じです。それは流れが強くて、発散も強いほど、はっきりした感じになってくると考えられます。もし流れが詰まってしまう場所ができた場合、そこの部分をすごく重く感じたりする。とくに関節で詰まりやすいんですが、関節が場合によっては痛くなることもあります。通ってしまうと、逆に軽くなる感じです。例えば、足を持ち上げて重い感じの時は、流れが詰まっていると考えていいわけです。それがよく流れてしまうと、軽く感じます。だから基本的に、体全体が重い感じというのは流れが詰まっていると考えていい。軽い感じというのは、よく流れて、よく発散していることだと考えていいんです。

気のバランスと生理的バランス

体の一部に気の流れが集まり過ぎてしまう、あるいは逆に気が集まらない、その部分に流れが少ないという場所が出てくるのは、バランスが崩れているということです。全体的に、とにかく滞りなく、よく流れている状態がいいんだということです。これは医学的・生理的な意味での体の状態とは、一応別のものであると考えていただきたいのです。もちろん体というのは一つですから見方の違いともいえるんですが、気の流れの状態が生理的な状態に影響を与えるし、生理的な状態が気の流れに逆に影響を与える、お互いに影響し合う関係にあるということです。

関節のズレと流れ

もう一つ、よくいわれることに、体の、例えば背骨の狂いとか、関節の狂いとかいうことがあります。確かに関節にズレがあって硬くなっている場合は、そこで気の流れが詰まりやすくなっていることがあるんですが、別の面から見ると、体の方の要求として、背骨や関節がずれた方が流れがよくなるので、体の方がずれたがっていると考えていいんじゃないか。というのは実際に、姿勢によって気の流れが変わるということがあります。ずれているという場合に、ずれている方向に少し、ほんの僅かに手で触れてずらしてやると、よく流れ始めるわけです。手で触るというのは——別に触らなくても流れるんですが——そういうある姿勢に変化を、あるいは関節にほんの僅かな変化を与えるとよく流れる状態があるので、そのために手で触ると考えていいわけです。反対に、ずれている方向と逆方向に少しずらした方が、流れがよくなる場合もあります（二六三頁の図5参照）。

よく流れる状態

どういう違いかというと、基本的には、ある方向に流れが詰まっていて、気が「実」の状態で（気の流れが強くて痞《つか》えている）関節がずれている、あるいはそっちの方向に筋肉が強く引っ張っていてずれている場合は、その方向の通りに少しずらすと流れがよくなると考えていい。逆に、気が「虚」の状態で気の流れが少ないために、要するに力がないためにずれている場合は、逆に少し元の方向に、僅かに戻す方向に押さえておくと、その方が流れがよくなる。これは流れが少い所によく流れてくるというふうに考えていいと思います。いずれも、僅かにずれた位置によく流れる状態があるということです。実際の現場では反応がよく感じられる方向にわずかにずらせば良いのです。よく流れるようになると、ズレが自然に戻ってきてしまう。場合によっては体のズレに対する要求が強くて、ズレが完全に戻らない場合でも、弾力がつく。弾力があれば、流れは悪くない。背骨でいうと、呼吸するたびにどの背骨も動いている状態、そういう状態がよく流れている状態だと考えていいんです。

よく流れている状態というのは、もう一つ別の見方をすると、見た感じで軽く感じるということもあるんですが、透明感があるという言い方もできます。濁っている感じというのは、よく流れていない。ぱっと見た感じで濁っている感じが、あるいは重い感じというのは、流れていないんですね。透明な感じがする場合は、よく流れているんだと考えていいと思います。

発散の中心点——「膻中《だんちゆう》」「鳩尾《みぞおち》」「湧泉《ゆうせん》」「労宮《ろうきゆう》」

流れがよくなると、さっき言ったようにバイブレーション、細かい振動が出てくるんですが、体の各部分で、その発散の中心になる所があって、例えば頭の方でいうと、いわゆる眉間《みけん》より少し上になりますが、そこの辺りが詰まってしまっていると、頭全体の発散が悪くなってしまう。精神的にいえばいわゆる鬱《うつ》状態という感じです。それから胸でいうと胸の真中の胸骨の一番出っ張っている辺り、ツボでいうと「膻中」（左右乳首の中間　二六六頁図1参照）という辺りの部分が硬くなっていると、そこがバイブレーションの中心になっているので、胸の発散が悪くなる。お腹《なか》でいうと、鳩尾が硬くなってしまうと、やはり発散が悪くなる。足でいうと、足の裏のツボの「湧泉」がバイブレーションの中心になるので、そこが詰まると足全体の発散が悪くなる。足の指をぐっと曲げた時に一番へこむ辺りと考えていいですね。手でいうと、「労宮」というツボがあります。手の平をつぼめた時に一番へこむ辺りですが、そこが閉じてしまって、バイブレーションがない状態になってしまうと、やはり、発散が悪いと考えていいんです。

そういうふうに気の流れがいい時にはバイブレーションがいいし、また、そこの中心になる部分にバイブレーションを起こすようにしてやると、流れが逆によくなると考えていいんです。

手の周りの気で触れる

もう一つ、気の波動は体の中側だけでなく、外側にも広がりをもっているということです。例えば手で触れる場合、さっき言ったようにちょっと姿勢を変えてやるために触れるのであって、手でじかに気を通すというよりは、気で触れている、**手の周りに広がっている気で体に触れている**という感じで触れないと、うまく流れてこない。力でぎゅうぎゅう押すというふうにしてしまうと、かえって流れを損ねてしまいます。例えば背骨に触れた場合に、ものの形をさぐるのとは違って、気が通ることによって相手からの情報が伝わることになります。ところが力でぎゅうぎゅう押した場合、相手が緊張してしまいます。押さえる側の指先も同時に緊張し、気が通らなくなります。それによって気の流れを損ねてしまい、何も読みとれなくなることになります。その辺が医学的な身体の見方と違うところです。

外側への広がり

それでは外側にどういう広がり方をしているかというと、例えば、生れる前の胎児の状態というのは、生理的には母親の子宮とつながっていて、自分の体の外側に、自分の体を調節する機能があって、それでバランスが完全に保たれている。それが生れてしまうと、生理的には体の外側にバランスをとる機能がないわけです。だから、空気をはじめ体の外から何かを取り入れるということで生理的にバランスをとるんですが、食べ物をとる場合でも、生理的には食べ物の栄養を取り入れるということなんですが、気ということからいうと、食べ物の持っている気自体を取り入れているのだという考え方ができます。

体を包む波紋

子宮が胎児の体の外側にあって、体を包むようになっているということは、気のレベルでは、そのまま、生れてからも残っていると考えていい。つまり体の外側に気の広がりがあって、それはただ広がっているだけじゃなくて、一種の境目《さかいめ》みたいなのがあって、ある部分で、何重かの卵の殻みたいなものに包まれている。あるいは水の中に広がっていく波紋みたいな形で、体の外側に波動が広がっているというふうに考えてもいいと思います。体の、すぐ皮膚の外側の辺りに波動の一つの境目みたいなものがあって、それから、人によって、その時のエネルギーの強さ、気の流れの強さによっても違ってきますが、四、五十センチくらいの所にも広がりがあって、あるいはもう少し外側の、一メートルくらいの所に広がりの境目みたいなものがあるわけですね。これが、例えば、ストレスで緊張が強いとか、あるいは気の流れを抑えつけてしまっているというような場合は、縮まってしまうと考えていいわけです。緊張が強い、疲れているとかいう場合には、それが縮まってしまう。

無意識の交流——「共鳴場」

体の中の流れがよくなってきて、どんどん発散していく状態になってくると、その外側を包んでいる波動の場が広がっていきます。これが伸び伸びと広がっているほど、いい状態だと考えていいわけです。エネルギーが強い人ほど、外側に大きく広がっていくんですね。逆にそれが小さく抑えつけられてしまうと、エネルギーの強い人ほど体の具合が悪くなるということも、いえるわけです。人が二人いるということは、その気の場みたいな、一応共鳴し合う場という意味で、「共鳴場」というふうに言っておこうと思いますが、そういう響き合う場みたいなもの同士が接触しているんだということです。そのために、お互いが意識的な交流だけでなくて、無意識の交流ができると考えられるわけです。

集中と発散

それともう一つ、補足しておきますと、大まかにいって気を通す場合に、①気を集中して相手の集中度を高めるという面の強いやり方と、②共鳴を中心に、相手に合せるということを中心にして（またバイブレーションと気の流れというような言い方をすると、バイブレーションを合せるという方を中心にして）、発散するのをどんどん高めていくやり方と、両方のやり方があります。気の「陰」と「陽」という考え方でいえば、気を集める、あるいは気を送るという場合は、「陽の気」で、発散させるのは、「陰の気」です。

「陰」と「陽」

体の中でいうと、いわゆる経絡で陽系といわれる体の背中側や手足の外側（日焼けする側）を通る部分は、基本的に陰の方のエネルギー、発散させるエネルギーによって流れがよくなる。逆に陰系の方（手足の内側と腹側）は陽のエネルギー（集中するエネルギーによって、流れがよくなる）と考えられている。だから、エネルギーの方向として、発散させるか集中させるか、気の方向として陰と陽があると考えてもいいし、また、どちらを使うかということでは、発散させるところから始めるか、集中させるところから始めるか、二通りの大きなやり方があるということです。つまり、気の流れの弱い所に意識を合せると流れが強くなり(=気の集中)、流れが強すぎて詰まっている所に意識を合せると流れ出して発散することになります。

どちらから始めてもいいし、発散させる方から始めても、どんどん発散していくと、体の中の流れがよくなって、集中する傾向が強くなるし、集中させることによって逆に発散が強まる。どちらがいい悪いというのではなくて、両方の方向があり得ると考えられます。僕の場合は発散させていく方がやりやすいので、そこから入る場合が多いのですが、これは人によって差があります。野口さんの本をみると、野口さんの場合は、どちらかというと気を集中させる、強く意識して、強く集めるというやり方が中心になっていると考えていいと思います。

長い呼吸の必要

いずれにしろ、発散させる場合でも集中させる場合でも、やる人の意識の、ある種のコントロール状態が必要ですが、呼吸でいいますと、長い呼吸が必要です。といって、意識的に、無理に長い呼吸をすればいいかというと、そういうわけでもなくて、自然に、僕の感じでいうと気がつくと長い呼吸になっているという感じです。普通は、息を止めろといっても、そういくらも止めていられないんですが、そういう集中している状態だと、気がつくとずいぶん長い間呼吸をしていないような感じの静かで長い呼吸になっているわけです。その**長い呼吸というのは、必ず必要**だということです。

最近気がついたんですが、これは気を通す場合だけじゃなくて、例えば音楽の演奏でも、みているとすごく集中力の高まっている状態では、ずっと呼吸をしていないように見えるほど長い呼吸になっている。長い呼吸でずっと集中力を保ったままでいる状態でいるほど、いい演奏ができると考えていいと思います。

丹田への集中

もう一つ、一般的には体の中である所に気が集まり過ぎてしまっても、気の流れが少なくなってしまっても気のバランスが崩れるんですが、ただし、さっきいったバイブレーションの中心になっている所（鳩尾・湧泉など）は、気が集まらないでどんどん発散していっても、「虚」の状態でいい所なんです。逆に丹田という所はいくら気が集まっても大丈夫なんです。余っているエネルギーがあるとすると、丹田の所にそれが全部集まってしまっている状態が、いつでも気を発動できるというか、使える状態なわけです。集中状態——呼吸の長い状態というのは、丹田を中心に気が集まっている状態なんですね。そういう状態になると、非常に長い呼吸のコントロールができてきて、しかも体全体の発散も非常によくなるというバランスになります。

スポーツ・武道の場合

改めていえば、あらゆるスポーツとか武道は必ず丹田の集中を高めることを、かなりやっているんだと思います。武道なんかに一番典型的に出てきますが、空手でいえば、空手の礼とか合掌もそうですね。合掌も胸の位置からお腹の方に、ずっと合掌した状態で下げてくると、丹田の方でぐっと気が集まる。剣道でも、素振りで、木刀を上から下に振りおろすのは、丹田にぐっと気を集めるということになるわけです。相撲でいうと、**蹲踞**《そんきよ》（以下、次頁図参照）の姿勢そのものが、丹田に気を集める格好になります。土俵に上がると最初の所作として、蹲踞の姿勢で、手のひらを上にして両方に手を広げて一回上に上げて、もう一回手のひらを下に返すんですけど、手首を内側にねじる動きで上半身から気が発散し、上半身はリラックスする。するとさらにぐっと丹田の方に気が集まる。それを儀式的にやっている形になります。**仕切り**というのも、丹田に気が集まりやすい姿勢です。四つ這いで体をぐうっと縮める格好になり

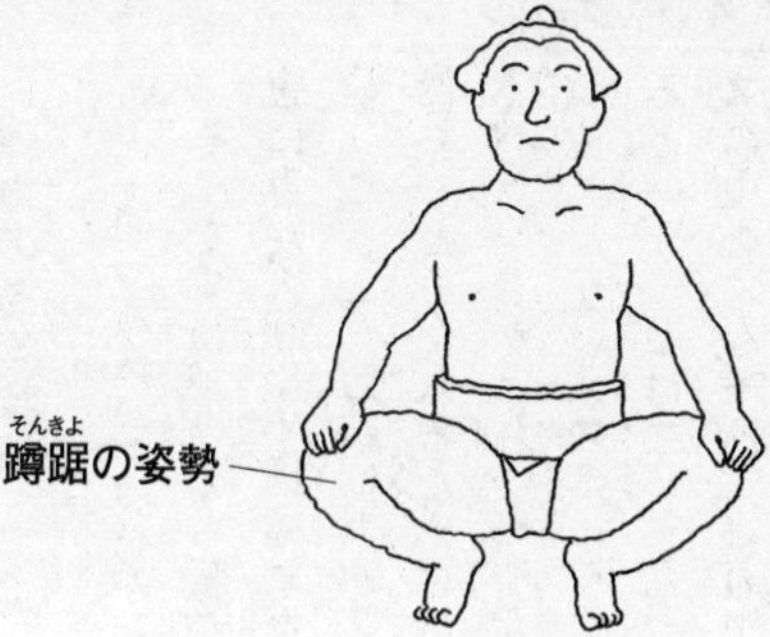
蹲踞《そんきょ》の姿勢

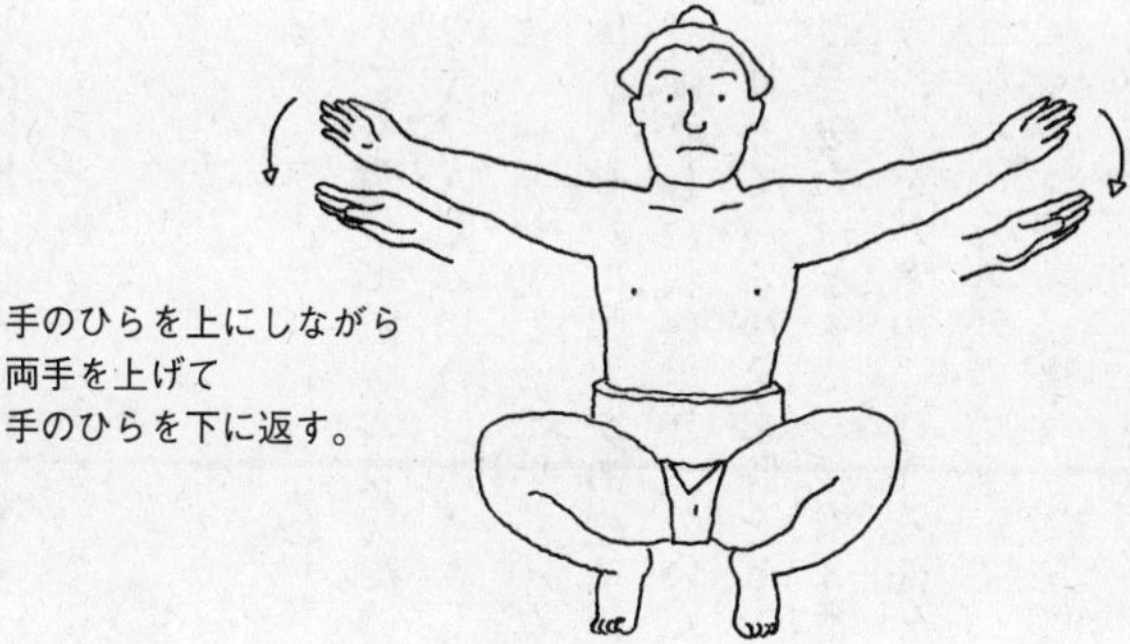
手のひらを上にしながら
両手を上げて
手のひらを下に返す。

仕切り

ますから、あの姿勢は、気が丹田に集中しやすいんです。そういうように、いろんな方法で、経験的に丹田に気を集めるということをやっているんだと思います。

弾力のある状態

——四つん這いの姿勢が、もともとそうなんでしょうね。

そうですね、いくら腰が痛くても四つん這いの姿勢だけはできますから、これはお腹に力が入りやすい姿勢なんです。人間の場合は、どうしても立たなきゃいけないということで、お腹に力が入りにくい姿勢をとっている。だから、立っているままお腹にぐっと力が入るためには、体が、微妙に弾力があって揺れる状態じゃないと、うまくバランスがとれないですね。硬直した状態で立っていたんじゃ駄目なんです。ですから、どういうスポーツでも、立っている場合に膝をピンと伸ばした状態で立っているということはない。あれは膝を緩めたときに、腰椎3番という、体の全体のバランスの中心になる所、揺れてバランスをとる中心になる部分に、弾力が出てくるんですね。だから、必ず膝を緩めて、弾力のある状態で立っている。これはどういうスポーツでもそうですね。その位置からだったら、どっちの方向にも動けるということです。棒立ちになっていたんじゃ駄目なんです。そういうことは、あらゆることに共通するんです。

体の内側から外側を見る

少し話は変わりますが、子供と大人とでは意識の在り方が違います。どう違うかというと、子供の場合は、自分の内側に意識の中心があって、内側から外側を見ているということです。一般に、この状態が、気の集中という場合には必要です。外側から自分自身を見るという、意識の中心が自分の体の外側に出てしまって、外側から自身を見るという状態になると、集中できない。例えば自分の手で自分の体を触るという場合に、普通は手の方に意識が強くいってしまう。自分の手でお腹を触る、手がお腹を触るという意識に、自動的になってしまいます。それはなぜかというと、外側からお腹を見ているという意識が非常に強いからです。手というのは、そういう意味では意識が強く表れる所で、意識の方向がわりに強く出てしまう。

ところが、自分の手で、体に気を通すという場合に、外側から体を見てしまうと通らないんです。かえって緊張してしまうからです。手に気が集まることは集まるんですが、集まるだけで流れなくなってしまう。逆に、**お腹の方から手の方を感じるという意識に切り換えてやる**と、具体的にいえば、急にあったかくなるんですね。あったかく感じられる。手の方でお腹に向かって触っている感じだと、ちっともあったかく感じられない。気の動きがなくて、気がそこの所に集まってしまうだけではなくて、滞ってしまうのです。それを一生懸命やるものだから、そこでますます滞ってしまう。逆に、お腹の中の方から外側を見てやると、内側から外側へと気の場が広がり、流れが自然に起きやすくなるのです。

子供の場合

この意識の流れの方向が大事で、子供の場合はそれが自動的にできている。例えば、子供の絵とか、詩とか、作文とかいったものをみると、ある年齢まではどの子も素直に自分の心の中が表にぱっと表現できているんで、どの子がきわだって優秀だということはあんまりなくて、どれをみても面白い。ところが、とくに小学校の高学年あたりになってくると、逆に外側から自分を意識する。人がどう思うだろうかといった外側の意識で自分を見るようになってきて、そこらへんから急に駄目な作文とか絵に変わっていってしまう。うまく自分の内側から外側へという意識を使える、汲み上げられる子だけは面白いものを作れる。確かに表現ということになると、外側の意識が必要なことは確かです。でも内側からの意識が抑えられてしまうと、駄目なんですね。

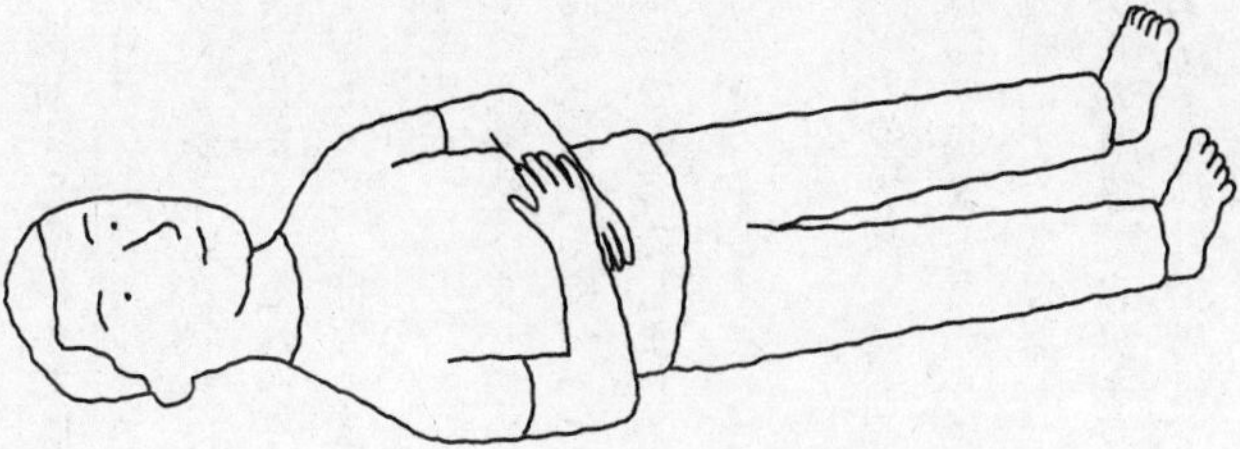

×外側から体を見る

◎体の内側から外側を見る

何かに対する意欲や興味は、内側から外側への意識の流れでないと、出てこない。外側からコントロールするばかりの意識の状態になると、何かやって楽しいとか、興味が湧くとかという状態にならないで、気ということでいえば発散することにならなくなってしまう。それが今の子供たちをみていると、割に外側からの意識に強く抑えられてしまって、自分のエネルギーを出す方向が見えなくなってしまっているといえますね。

その意識をうまく転換することができると、意欲も元気も出てきますが、気の場が外側にどんどん広がっていくはずなのに、逆に抑えつけられてしまって、どんどん狭くなっていってしまうことになると、エネルギーがあって、本来強いものを持っている子ほど、鬱屈してしまうことになりますね。大人の場合でも、もちろん同じことです。

――その場合、意識と気の関係は、どうなっているんですか。

意識が集まるというのと、気が集まるというのは同じことです。ただそれが、意識の方向によって停滞してしまうか、流れやすくなるかの違いが出てくるんですね。外側からの意識で自分を見つめるほど、内側の意識というのはどんどん固まっていってしまう。それは結局は、自分の内側のエネルギーを解放することができないで集めてしまう、何かの所に停滞することになる。内側から外側を見ていられる状態というのが、安定している状態なのですね、気が流れている状態です。

――内側から外側を見ている状態は自分でも分りますか。

本当にうまく内側から外側に意識が向いていると、完全にぼうっとした感じになってきますね。その状態というのは、自分では意識されにくい。自分を意識するというのは、ほとんど外側から自分を意識するということになりますね。例えば、生れたばかりだと、内側からの意識しかないですから、自分を意識することはないんですね。だから記憶もない。じゃあ痛みを感じないかというと、そういうわけではない。幼児の場合は大人に保護されているので、内側からの意識のみで生きていられる。でも人間の場合は、外側からの意識を形成していかないと、社会的な人間として生きていけないというのが、一つの問題なんですね。外側からの意識がなければいいかというと、そうはいかない。

外側から見る意識では

前にも言いましたが、教育やしつけなんかで、外側から自分を守る意識をだんだんに作っていかないと、生れたままの裸の意識の状態では、何を食べたらいいかということ一つにしてもやっていけないということがあるんですね。これはもう、人間が存在するということが、そういう気質をどんどんインプットしていくように、もともとできているんだと考えていいんじゃないですか。しかしあまりにもそのことが肥大していってしまうと、自分自身のもとの核になるものが萎縮していってしまうという、逆のことが起こってくる。本来は自分がその中で安定した気分のいい状態でいたいためには、自分の外側で守るものが必要なんですが、その**守るものを獲得するために無理をして、自分自身が萎えていってしまうという逆転が起こる。**それはほとんど無自覚にやっているんですね。

気の境界の性質——鬱《うつ》傾向と過敏傾向

同じことを気の場ということでみると、一人の人の気の場に触れた場合、皮膚よりもっと外側にある気の境界みたいな部分が軟らかい人と、強固な人と、大きく分けて二通りあると考えられます。強固なタイプの人は外側からの意識が強い人なんですね。外側からの意識と内側からの意識がバランスがとれて、気の境界に弾力がある感じならよいが、それが自分の行きたい、気の向いている方向を強く抑えられた場合に、硬直していってしまう、萎縮していくんです。そうすると鬱状態になりやすい。何か一つのことに異常に執着したり、一つのことが全く頭から離れなくなってしまって、鬱状態になっていきやすいですね。

逆に気の境界みたいな部分が軟らか過ぎる、流動的な人ですね、どこで気の境界に触れているか分りにくい人の場合は、不安定な状態になりやすい。自分が守られていない、裸だという感じが大変強くなってしまって、いわば、統合失調症に近い状態ですね。自分を守る空間がないといった不安な状態になりやすい。そういう後者の体質の人は、体が過敏で、すごくバランスが変わりやすいということです。しかも、今の社会では、鬱傾向の人には強く鬱傾向が出てくるし、過敏傾向の人には強く過敏傾向が、境界の不安定な状態、流動的な状態が強く出てくるということです。

執着体質と気

これをその人の体質という面からみると、さきほどいったように、何かある方向に強い執着を持っていて、あるいは、ある価値観を持っていていてというふうに言っていいかもしれませんが、それを実現しようと努力して、頑張って、その果てに発散することによって、体が気分のいい状態になる体質というのがひとつあるんですね。例えば登山のように大きなストレスを自らに課し、それを克服することによってはじめて発散するようなパターンですが——がんの生きがい療法が有効であるということも、そういうことと関連していると思います——そういう人が逆に、自分のやりたい、エネルギーを集中したい方向を邪魔されてしまったり自分で抑えつけてしまっている場合に、気の広がりが萎縮してしまって、バランスを崩すということがあるわけです。

今の、現代的な病気といわれるものには、おそらくそういうストレスが、ほとんどの場合に関わっていて、本来の自分のあるべき状態といいますか、**エネルギーの使いたい方向を抑えつけられてしまっているために、起こっていると考えていいんじゃないでしょうか。**この病気との関係はまたあとでふれてみたいと思います。

エネルギーの使い方は人によって違う

ではこのエネルギーを集中する方向が、人によって、同じかというと、やはりさまざまに違うわけですね。運動することで元気になる人もいますし、疲れるだけの人もいる。狭い所に閉じこめられていれば元気がなくなってしまう、調子が悪くなってしまう人もいれば、狭い所が大好きだ、すごく集中できていいという人もいるわけです。あるいは古いものに非常に愛着を感じる人もいれば、新しいものが好きな人もいる。同じ場所にずっといることが好きな人もいれば、しばらくいると飽きてしまって落着かなくなる人、また物事がある程度できあがってしまうと飽きてしまう、もう一回新しく作っていく過程が面白いという人もいるわけです。眠るのが好きな人もいれば、ほんの短い睡眠時間があればいいという人もいます。

これらの場合も、どちらがいいということではなくて、例えば睡眠を例にとると、眠っていること自体にすごいリアリティがあって眠っている時間に充実感がある人もいるんですね。逆に、眠っている時間はただのお休み時間で何の意味もないという人もいるわけです。だから眠っている時間に充実感のある人の睡眠を奪ってしまえば、非常に具合の悪いことになるし、逆に眠っている時間に何の充実感もなくて、ただの休みだという人が、八時間寝なければいけないというので八時間眠っていれば具合が悪くなってくる。つまりその人の本来の状態に即した生活ができているかということが、その人が元気でいられるかということと大きく関わってくる。

過敏体質と気

こういう方向にエネルギーを集中したいんだという、方向性を持っている人の場合が今いったような場合になるんですが、そういう方向を逆に強く持たない、体のバランスが変化しやすくて、エネルギーの集中と発散の方向が定まらないというタイプの人もいるわけです。つまり集中が持続せず自然に発散してしまう傾向が強い。過敏体質の場合です。いわゆる自律神経の失調といわれる場合もあるし、ある種の神経症といわれる場合もあるわけですが、体のバランスが常に変化してしまうために、自分では慢性的にどこか具合悪いような感じがあって、医学的にはどこも悪くない人もいるわけですね。その場合は症状や疲れが早い段階で出てしまうからなんです。あるいはアレルギー反応とかいった形で、そんなに必要でない段階でも体の反応がどんどん出てきてしまうからで、そのために自分では常に不安定な感じがするということになります。

そういう人の場合には、もともと何かの方向に向かって頑張り続けることができない体質なんです。それを無理に何かに集中しなければいけないということになると、具合が悪くなってしまう。ストレスになってしまうわけですね。あるいは社会の枠組の中に取り込まれるということ自体に対してまず緊張感をもってしまう。そういう場合は、頑張る必要はないんだ、努力をする必要はないんだというふうに開き直ってしまった方がその人は元気になるということなんです。いずれの場合もその人の**本来の在り方に近い状態でいられると、元気でいられる**ということです。

体質を自覚する意味

そこで自分の体質的なもともとの素質を、どう自覚するかということになります。普通は人の生き方として求められるのは、こうでなければならないという外側からの要求です。例えば頑張らなければいけない、努力しなければいけない、我がままではいけない、人に迷惑をかけてはいけないとか、人を頼ってはいけないとか、自立しなければいけないとか、それを全部守ったら、がんじがらめになって確実におかしくなってしまうんですね。

その逆に自分はこの方向でいいんだ、それしか自分のエネルギーを発揮する方向がないんだと自覚したときに、ある意味では我がままということになりますが、力を発揮できる。逆にいうと、何か能力をすごく発揮している人は、みんな我がままだという言い方ができるんだと思います。我がままでなければ力を発揮できない。「憎まれっ子世にはばかる」という言い方が昔からありますが、もともと素直に自分のやりたいことをやってしまっている人は、それでいいわけです。

しかしそうでない人の場合は、自分はこっちの方向でいいんだということがはっきりすると、本来の力を発揮できる。逆にそれが分らないと、精神的にも身体的にも具合が悪くなってしまう。それも力のある人ほど、よりバランスを大きく崩してしまうんです。体質（＝エネルギー傾向）の自覚ができると、自分の生活パターンというのをどういうふうに組み立てたら、一番自分がいい状態になるか分りやすくなるんですね。それが一番、余分なことをしないで元気でいられるということなんです。

普通は人格というのは、自分のもともと持っている体質的素質に対して、外側から与えられた枠組を受け入れていく形で作られていくと思うんです。その受け入れた枠組が自分にぴったり合ったものなら良いし、それが合っていない場合は、より本来の自分に合った枠組を選びなおしていく、体質に合った行動パターンを選んでいくということもできるということです。

整体の考え方と目的——要約

——気とはどんなものかということから整体について、いろいろお話しいただいてきましたが、ここらで一応その考え方を要約するとどうなりますでしょう。

①成長と老・死の自然で闊達なプロセスを妨げるもの、また個々人にとって特異な、本来の体質を抑圧したり、あるいは歪めたりしているものを、とり除いていく技術と考え方である。（第1章参照）。

②体を、気の流れと波動の場、つまり「気の共鳴場」とみて、人と人の間の共鳴を使って、その共鳴場のバランスをとるということが目的であるということ。
③この共鳴場のバランスは体の生理的なバランスに影響を受けるとともに、生理的なバランスに影響を与える（ようにみえる）ということ。それぞれが独自のバランスを持つんだということ。つまり、医学的、生理学的身体のモデルとは別個の気の流れと響きの観点からする見方だということ。
④従って当然、医学的な治療を目的とするものではなく、あるいは医学的な意味での病気の診断をするものでもないということ。むしろ、体の潜在的な異常を敏感に表面に表す、あるいは感じる体になるようにするのが目的だということ。
⑤体（特に背骨）の歪みの矯正を目的とするものではなく、むしろ体の歪みを積極的に利用して、自然に気の流れのよい、弾力のある、伸び伸びとした体にすることを目的としている。

3　病気は生きることの一部

病気に至る過程

——前章で、体の潜在的な異常を敏感に表面に表したり、感じたりする体にすることが整体のひとつの目的だといわれましたが、それは具体的にはどういうことですか。

気の流れからみた体の悪い部分というのは、その部分に気が固まって動いていない、しかもそのことが表面に反応として出ていない、体の奥の方で眠っている状態と考えていいんです。気の滞りが自覚的な症状になってすぐ反応してくれればいいんですけど、すぐ反応するとは限らなくて、体が鈍くなっているんです。体のバランスをとろうとする反応が、活元運動などで日常的にあるはずなのに、それが抑えられてしまった場合、反応としても出てこなくなってしまう。症状以前にそこに異常があるんです。その異常が医学的な意味での異常になって現れた時に、初めて病気と呼ばれるのですが、それ以前の段階があるわけです。いっぺんに病気になるんじゃなくて、病気ではないけれども流れが悪くて、悪くなりつつあるという部分がある。

それが早く表面に情報として出てきてくれれば、ここのバランスが悪いという感じが自分の感覚に早く伝わってくれれば、何とかする。休むとか、ある行動をしたり、ある場所に行ったりとか、そこが流れやすいような状況を何とかして作って、自然にバランスをとるということがありうるんですが、それが表面に全然出てこない状態が、病気に至る過程だと思います。

――年中具合が悪いと言いながら、そんなに重大な、深刻な病気にならないで日々を送っている人がいますね。

前にも言ったと思いますが、そういう人は結局、バランスの悪い状態に敏感なんですね。重大な病気にはならないけど、症状は年中出る。いかにも心臓が悪いという感じなんだけど、調べてみるとどこも悪くないというような人もいっぱいいます。

――それはむしろいい状態ですか。

ええ、いい状態です。

気の流れと死

――生理学的な反応、抵抗力が弱くなってしまって死に至るというようなことがありますね。その場合、気が動いているということと、病気が勝ってしまうということの関係はどうでしょう。

気の流れとしては何とかバランスをとろうとする。そこに形がある以上は気の流れがありますから。むしろ死が近づくほど気の流れはいいですね。ある時点で生理的に不可逆な状態を迎えて、それを死だと一般的にはいっていますが、その後、気がどこにいってしまうのかは、よく分からないですね。でも少くとも今まで見た範囲では、死の近づいた状態というのはよく気が流れています。

——小康状態というのがありますね、死ぬ前に。

発散の仕方なんかすごくいいんです。体の中心軸から頭頂に向かって抜けてゆきます。その人がもともと持っている気の元みたいなのがあるとして、それを全部そこの所で一気に使い切ってしまおうとしているのかもしれません。これはどう考えたらいいのか分からないんです。中国には「先天の気」という考え方があって、もともと持っている気があって、それを使い切ったらおしまいなんだというんです。それと外から入って循環する「後天《こうてん》の気」と、両方あるんだという考え方をしています。それも正しいんだとは言い切れないというか、まだよく分からない部分です。ただ、死の直前に気の流れがストップしてしまうかというと、そうではない、流れています。

風邪の状態

——よく風邪なんかひいて、体がまったく動かないような状態の時に、手足がものすごくじんじんして、皮膚の表面が勝手に充血しているような感じのときがあります。ということは、元気のない状態にもかかわらず、そこの所で気が出たがっているということですね。

風邪をひいている時は元気がないんじゃなくて、あるんですね。決して元気がないんじゃなくて、流れがすごく強いんです。熱が上がって、気分としては元気がないけど、免疫ということでいうと、体内の働きが高まっているのです。免疫反応が強いわけです。風邪をひいたというのは、ウィルスに感染したときを指すんじゃなくて、医学的に言えばウィルスがどんどん増えていって、それに対して免疫反応が起こった時点を指すわけです。それで初めて炎症が起きるんです。その時点というのは体が活発に反応し始めた時です。

もっと重大な病気の場合は、それで解決がつかないで駄目になってしまう場合もあります。肺炎などになった場合、体の方のエネルギーで対応しきれないということも考えられますが、常に体の状況に応じてバランスをとろうという力は持っているということです。生理的にどんなにバランスが崩れている状態でも、気の流れはよく流れるんですね。それは医学的にいってもう駄目になってきているということと別な側面なんです。そこがちょっと医学的なモデルと違うところです。

風邪はバランスのとり直し

――風邪についてもう少し説明してください。

風邪の場合は、その年や季節などによって、どういう所に冷えがあるか、どこらへんに緊張が強いかといったことがちょっとずつ違うんですが、熱が上がるときには、基本的には頭の方にエネルギーが強く集まってきてすごく額が熱くなってくる。それから今度上がりきると、逆に手足の方に向かって流れ始めるんです。そのとき、強い流れになるので、節々が痛くなることがあります。最初背骨を中心とした所で流れが強くなるんです。その前に胸椎5番という所が過敏な状態になるんですが、そこはどうも風邪だけじゃなくて、免疫全体に関係があるようで、いろんな免疫が活動し出したときに、5番が過敏な状態になってきたり、ねじれてきたりします。

子供の場合ですと、「知恵熱」という言い方があるように成長の節目で風邪をひいてすごく熱が出たりすることがありますが、一般に体のバランスを何かに対して変えようとするときに、風邪という形で出てくるようなんですね。例えば季節の変わり目で、体が新たな気候に対応するためにバランスを変えようとするときには、もとのバランスを崩さなければなりませんから、バランスを崩して新たなバランスに移行する、そのときに風邪になると考えていいと思います。

それが素早く移行してしまう場合には、風邪という形で表面に出ないうちに変わってしまう。あるいは熱などが出なくても、風邪に近い状態を経過して、やはり体が変化しているんだと考えていいですね。風邪は医学的には「上気道の感染症」という定義ですから、そういう所に実際に炎症反応が起こらなければ、風邪といわないんですが、それよりももっとデリケートな所で変化している段階というのがあって、それでいろんな状態が出てきます。

発散のための炎症——アトピー、喘息《ぜんそく》、花粉症の意味

もう一つは、普通は風邪を病気としてとらえるんですけど、むしろ体の免疫を含めた変化の仕方の一つだととらえていいと思います。風邪をそういうふうにとらえると、同じように他の病気にも全部、そういう面があると考えられます。例えば病原菌等によらずに皮膚に炎症を起こしたり、鼻の粘膜や喉《のど》の粘膜、気管支の粘膜などに過剰に炎症を起こすのを、一般的にアレルギーといっていますが、それも一つの適応の仕方です。ある所で気の流れがつかえたり悪くなったりしているときに、炎症を起こすとしがよくなる、あるいは発散の仕方がよくなるということが一般的にいえる、その

を起こしているんだといえるんですね。別の仕方で流れがよくなってしま

はそれでバランスがよくなるんですが、アレルギーという形でもバランス

とができるということだと思います。

ら、それは病気というよりは、今の自然環境とか社会環境に対する、一つの適応の仕方だと考えられるんですね。例えば花粉症もすごく増えています。昔は細菌の感染症が主な問題だったのですが、衛生環境を始めとする社会環境が変わり、今日では感染症としてはウィルスの方が主な問題になっていて、そのウィルスに対する体の対応の仕方が、昔の体の対応の仕方よりデリケートでないと対応できない。ということで、今日の環境に対する適応としてアレルギーも出やすくなってきているんですね。例えば**アトピー**もそうです。アトピーと**喘息**を両方とも持っている子供が割に多くて、アトピーとして出ているときは喘息にならなくて、喘息になるときはアトピーにならないということも多いわけです。これは、皮膚の表面で炎症を起こしてバランスをとればアトピー、気管支の方でバランスをとろうとすると喘息になるということです。

花粉症の場合と喘息の場合とは、よく似ていて、やはり首や肩の周りの筋肉がかなり緊張してきます。花粉症の場合は肩の鎖骨の所の流れがすごく詰まってくる。喘息

の場合も、やはり肩の所で流れが詰まってくる。両方とも、気の大局的なバランスからいうと、頭の方に気が集まってしまっている状態です。そして足の方には気の流れが行きにくい。足が冷たくておでこがあったかい状態ですね。**肩の周りの緊張を緩めて**やって、そこらへんの**流れがよくなるようにする**と楽になるし、それから**足の方に流れがよくなるようにして**やっても、バランスがとれるということです。

ウィルスは外因

──風邪は、一般的な常識では、体が弱っているときに何かウィルスが体に入って、さらに弱った状態になるという形で考えられておりますね。それでお医者さんに行って注射を打ってもらったり、薬を飲んだりして治すという考え方ですね。

それも一つの考え方で、間違っているということではないと思うんです。しかし、体の側からどういうふうに反応しているのかを中心にみると、ウィルスは外因にすぎなくて、ちょうどバランスを変えようとしているときに、ウィルスだろうが花粉だろうが相手は何でもいいということです。例えば花粉症の場合は、ちょうど季節が春になって、体のバランスが冬から春に変わっていく境目のところで崩れる、そこに花粉がやってきて相手になるんで、ウィルスでも別にかまわないわけです。その変化するときに、何かに対して免疫反応を起こす。そういうものに反応して、体の中のエネルギーを高めながらバランスをとっていくということです。風邪をひいたときでも、エネルギー状態は非常に強くなる。それをきっかけにして、バランスをとるということです。

成長期のハードルとしての病気

ちょっと極端な例ですが、重度の脳性障害の子が、風邪をひくたびに丈夫になっていった。体力がなくて風邪をひくと肺炎までいっちゃいますし、死ぬかどうかの瀬戸際までいくんですが、それを乗り越えると今度は以前より体も動くし、反応もよくなって丈夫になっていく。そういうふうに育っていった例がありました。「健常児」の場合にも、季節の変化だけじゃなくて、成長というプロセスの中で、体のバランスが一時的に崩れるわけです。それも徐々に起こるというよりは、あるとき一気に成長するという傾向があって、急に背の伸びる時や、いわゆる「知恵熱」も、あるとき爆発的に変化が起きるわけですね。そのときに、がくっと体のバランスが変化するためのハードルみたいなのがあって、それをエネルギーを高めながら越えていかないと成長できないということです。そのとき病気という形で体がバランスを変えていって、前より強くなるということだろうと思います。

それを、外側からの何かの原因だけで起こるというふうに考えると、確かにウィルスがあったり細菌があったりはするんです。また毒性が強ければ死んでしまう場合もあるのも事実ですが、両面をちゃんと見ておく必要があります。

炎症を「経過」する

――野口整体法の考え方だと思いますが、風邪をひいて熱が出ても冷やさない、もちろん薬も飲まないという形で、乗り越えた方がいいんだ、経過した方がいいんだという対処の仕方をしている人がいます。それはどういう考え方なのでしょうか。

場合によっては確かに、極端な例でいえば風邪じゃなくて大怪我をした場合には、外科手術に頼る以外にないわけです。風邪の場合は外側から風邪のウィルス自体を殺す薬というのは、実際にはないわけで、対症療法的なことしかできない、抗生剤はウィルスには効果がないので肺炎になるのを予防することくらいしかできない（原著刊の一九八九年時点では、有効な抗ウィルス薬はなかった）。それは確かに体の中での力というのが九九パーセントあるとして、もしあと一パーセントが足りないというような場合、どうしても何かの助けがないと生きられないということがあるかもしれない。

だけど、それは確率としてはたいへん少くて、実際にはほとんどほっといて治るというのが、普通なんですね。ほっといて治るのを、余計なことをするのがいいか悪いかという、考え方の問題だろうと思います。むしろ、ほっといて治る風邪なのか、似ているようでも違う病状なのかを判断するのが医学の仕事なのだろうと思うわけです。

咳《せき》が出るのも、洟《はな》が出るのも一つの炎症反応ですから、炎症反応が起きているということは、免疫活動が活発になっているということでもある。その免疫活動、炎症そのものによって、逆に命が危ないという場合もないとはいえないんですけど、それは単なる症状に過ぎなくて、命を奪われることは、普通の風邪の場合には考えられないことです。それを抑えるということは、例えばアトピーをステロイドで無理に抑えてしまって、それで今度は喘息の方に移行してしまうというようなことを作り出してしまう可能性があります。そこまでいくとよくないんじゃないか。ただ普通の場合は体に融通性が結構あるんで、多少薬を使おうがそれ以上に体の免疫力が大きいから、それで救われているんだと思います。あるいは、もっと強力な薬があって、ステロイドみたいに無理にでも炎症を抑えこむ薬があったとして、それを使い過ぎればやっぱり絶対害になる。ただ普通は薬自体がたいしたことないんで、たいした害にならないということですね。治しているんじゃなくて……。

――症状を止めている。

ええ、その程度のものだということですね。

――ということであれば、炎症が経過するのをそのままにしておいた方が自然だということですね。

気というレベルからいえば、エネルギーが強い流れの状態で発散しきって、しかもバランスがとれる、新しいバランスになれるわけですね。それが中途半端に終わってしまうと、今度はエネルギーの流れが強くて新たなバランスがとれるということができなくなってしまうということです。

花粉症の条件

――花粉症は最近多いですね。これは花粉が増えたからでしょうか。

昔から杉の木はありますから、花粉の量が飛躍的に増えたためばかりとは、考えにくいと思います。また花粉のたくさんある地方の人たちが特になっているかというと、そうでもない。原因は、単なる花粉の量の問題ではないと思います。一つは花粉症の場合、花粉があるというのは外因で、むしろ、その人の体が過敏さをどの程度持っているか、それから体質が問題ですね。それから季節の変化に対して、鼻とか喉《のど》の気の流れが詰まっていて、炎症をそこで起こしやすくなっているという条件がありますね。もう一つの条件として、同じような状態でも気が頭の方じゃなくて丹田の方に集まっている場合はならないといえるんです。これはだから、精神的なものとつながっていて、楽しいことをやっているときは起こりにくくて、いやなことをやっているとき、例えば会社に行くと余計ひどくなるという人がいます。花粉症は、普通は朝起きたときが一番なりやすいのに、朝より、会社に行ってから余計ひどくなるということは、精神的な緊張によって、頭の方にエネルギーが集まってしまい、それで余計になりやすくなっている。今あげた中のどれか一つの条件がなければ、花粉症という症状は出ないんです。だから花粉は、一つの条件ではありますけれども、一つの条件に過ぎない。それを花粉症という名前をつけると、やはり花粉のせいだと思ってしまう。たぶん杉の花粉じゃなくても、他のものでも、その時期だったらなるんじゃないでしょうか。たまたま杉の花粉が飛ぶときに、季節的にも非常に体の状態が合っているということなんですね。

〝過敏〟という適応

――卵を食べると蕁麻《じんま》疹《しん》が出るとかいった、食べ物アレルギーみたいなものも、昔はそんなにありませんでしたね。

昔は、卵をそんなに食べなかったということもあるかもしれませんけど、それにしても、増えていますよ。

――何にも食べられないという子供もいますしね。

いるんです。ご飯も食べられないという子がいます。総体としてとにかく過敏に反応することが、たぶん環境に対する適応として必要なんだろうということです。社会の環境などいろんな環境が変化するときに、過敏に体が反応していくということとつながっているのかもしれないですね。ちょうど時代が何かの曲り角にきているんで、集団的に体が変化して反応しやすくなっているといえるかもしれません。

――反応することで、バランスをとろうとしているということですか。

そうですね、一つの適応の仕方だと思います。そういう適応の仕方をしないと、今の社会はそれだけやっていきにくい。例えば、現象的にいえば、物事の価値観がころころ変わっていくのに、一つの価値観にしがみついているようなタイプの人というのは、すごく苦しいわけですね。ところが過敏な反応をする人たちというのは、一つのものにしがみつかない、逆にいえばしがみつけない、一つの価値観を信じられないという傾向があるんで、どれでも構わないんですね。どんどん次から次へ移っていってしまうのです。それは、そういう社会の在り方自体が要求しているものだと思います。そうじゃないと、苦しくていられない。

鬱病とがん

そういう意味では一方で鬱病的な人が、増えてきていますね。見た感じではすごく明るいんですけど、内実としては感情的な緊張状態を持っていて、何かに執着せずにはいられなくて、異常な頑張りをして、あるときぱったりいっちゃうんですね。見ていると、がんなんかの場合でも、体質的素因や物理化学的原因以外に、「頑張りすぎ」て疲れているかどうかもわからなくなっているということがあると思います。そういうがんが増えているということも、逆にいえば今の時代に、何かに執着して生きていくということが、ものすごく難しくなっていて、実は苦しいことで、無理しなければならないんで、あんまり無理して頑張ると、がんという形の鬱病になってくる。

——鬱病というのは……。

簡単にいうと、固まってしまって何かに執着した状態がほどけなくなってしまうという状態。例えば、気のレベルでいうと、あるいは気の場の広がりが萎縮し、硬直しちゃって、硬くなっている状態。気で触れた感じでいうと、すごく緊張感が強い、硬いという感じなんです。そういう状態がどんどん縮まっていって、ついに何かの形で体の中の一部に固まってしまっている。もう一つのパターンはずっと頑張ってきたのがある時急にガクッと力が抜けてどうやっても「丹田」に力が入らない（＝気力が出ない）場合です。この場合は力が抜け切っているので、体のバランスを立て直すチャンスでもあります。

胃潰瘍

例えば胃がんの場合でいうと、胃潰瘍の人は同時には胃がんにならないといいますね。胃潰瘍もストレス反応の一つとよく言われますが、胃潰瘍という形で反応してしまえば、その段階で反応が終わってバランスがとれてしまうんで、がんという形には至らない。胃潰瘍になる人自体が頭に緊張が集まりやすいタイプの人がなるんですけど、潰瘍という（良性な）パターンで反応しているうちはがんという（悪性な）パターンにならない。

——そうしますと、胃潰瘍の連続の上にがんが……。

そうではなくて、体の自律的バランスということを主体に見れば、胃潰瘍がより悪くなってがん化するのではなく、胃潰瘍という形でバランスがとれれば、がんにならないですむと考えた方が生き方が楽になるのではないかと思うのです。

——胃潰瘍というのは、なったり治ったりするものでしょう。

そうですね、だから今では切らなくなったんですね。

——結核をやった人間はがんにならないというのはどうでしょう。

それはどうでしょうかね。丸山ワクチンはもともと結核のワクチンだということですが。ただ結核になっている最中は、がんにはならないということは、あるかもしれないですね。結核という形でバランスをとっているんですから。その間に、プラスがんになるというのは、ないんじゃないでしょうか、それは別の種類のバランスのとり方ですから。

脳と体は同調する

——でも、先ほどのお話では緊張が凝り固まった感じになるのは、一応頭ですね。頭が凝り固まっているのに子宮だとか、胃だとか、腸だとかに出てくるというのは、他にいろんな要因があるからですか。

例えばホルモンということをとっても、脳の中にあるいろんなホルモンと同じホルモンが胃腸のいろんな所から、同じように出てきたりするのが発見されたりしていますから、例えば胃腸と脳は同調しているという考え方もできると思います。脳なら脳だけで働いているのではなくて、脳がある状態になっていれば、胃腸でも当然ホルモンのバランスの上で、あるホルモンが過剰に出たり、ある部分が異常な働きをしていたりすることはあると思います。

それともう一つは、例えば脳の方で何かいやなことがあるとすると必ず体の方で緊張が出ます。その緊張状態があるということは、気のレベルで見ると、そこの部分でつかえがある。そこの所でつかえが固まってしまっている状態、活動していない状態ができてしまえば、そこが何か最終的に悪い状態になってきてしまうということがいえると思います。おそらく生理学的にいっても、脳の問題と体の問題が分けられないというのは、これからもっとはっきり分ってくると思いますが。

身体はホログラフィック

——人間の体はどこを切っても同じで、金太郎飴みたいな、ということになるんですか。

そうですね、ホログラフィック(どの一部をとっても全体の情報がそこにある)な感じになっているということです。ツボということでいえば、どこの体の部分をとっても、全身のツボが集まっているということがいえるんです。耳も、鼻の周りも、目の周りもそうですし、目の中でみるやり方もありますし、肛門の周りだけとって治療をやる人もいますし、頭蓋骨のポイントをとっても、あるいは背骨をとってもそうです。だから、どこをとってもそこには全体の情報が来ているということがいえるんです。そういう意味では、情報量としては狭い地域をとると薄まりはしますけれども、やはり全体の情報がどこの部分を切りとっても集まっているんです。そういう意味では、脳の場合は典型的に情報の集中場所ですから、すごくはっきりしているんだろうとは思います。たぶん体の、例えば胃の気分が悪いというのは、必ず何か精神的なものに影響を与えるだろうし、精神的なことが胃の方に影響を与える。ただ、人によってどの部分が反応しやすいかが、違うということだと思います。胃腸で反応しやすい人もいれば泌尿器系統で反応しやすい人もいるし、筋肉に強く出やすい人もいれば、それはいろいろだと思います。

鬱と躁状態——眉間の緊張と発散

——躁鬱の、躁の状態の方はどのように考えられるんですか。

鬱の状態というのは、今までみた経験でいうと、眉間の所の緊張がものすごく高まっているんです。普通はそこからエネルギーを発散できる状態なのに、全然発散できない、閉じちゃった状態になっている。逆に躁状態というのは、異常にそこから発散している状態で、手を近づけたりするとものすごい振動を感じるんですね。それは異常に発散していると考えていい。躁というのは、ある所でエネルギーがものすごく凝縮して発散できなくなっているのが、爆発した状態、発散しっぱなしになっている状態ですね。

あまりひどい躁が続くと、また鬱になってしまう。どっちにも傾かなければ楽なんですが、エネルギーが強いほど、逆に往復運動をしやすいということです。エネルギーのあまりない人だったら、そうならない。エネルギーがあるから楽かというとそうはいえなくて、エネルギーのある方がバランスを激しく崩しますから、やはり大変なんです。眉間が緊張するというのは、一つの執着心の在り方なんです。眉間が緊張する人は心臓が悪くなりやすい。だから、どうも心臓病とかがんとか、脳溢血とか脳梗塞とかいうのは、同じ系統みたいなんです。同じような、**執着心の強いタイプの人が**なるという感じですね。

最近なぜこういう病気が多いかというと、やはりそういうタイプの人たちが、それだけ生きにくい世の中になっているということだと思います。実際には、そういう人たちが、つい、頑張り過ぎてしまう結果になる世の中なんですね。

老化は省エネ型

それで、年をとると、だんだんこういう病気にかかってつらくなると普通はいわれているんですが、必ずしもそうではないんです。エネルギーのすごくある人が、エネルギーがなくなっていったら、以前よりバランスは崩れにくくなる。その間にどこかを無理して、すごく悪い状態、動かない状態にまで酷使してしまっているということがなければ、**年をとることは決して苦しくなることじゃなくて、むしろエネルギーがなくなっていく分、悩みも少なくなるし、楽なはずなんです。**

若いときは、エネルギーがあり過ぎて自分をコントロールできませんから、どっちへ行くか本当に分らない。それが年をとってくると、自分はどっちに行くのか、エネルギーが少い分だけ見えやすくなるといえると思います。逆にいえば、同じことをやるのに、少いエネルギーで効率よくやることは、年とってからの方が可能だと思います。病気ということからいうと、年とってからは悪いことばっかりあるみたいなんですけど、そうじゃなくて、年齢に応じて、体の変化に合せてバランスをとれるようにしていけば、十分弾力があって、硬直しない状態のままで年をとっていくことは、可能ですね。とくに八十歳以上の人の体は気が通りやすい。老人と赤ちゃんが一番素直で、気を通す側としては楽で気持が良いのです。

4
揺れながらバランスをとる

足と腰

足の内側の力

――整体の目的の一つは、体の歪みを積極的に利用して、気の流れのよい、弾力のある体にすることだと言われましたが、一般的にいって体の歪みとはどういうことでしょうか。

例えば足の「土踏まず」が形成されていないということが、最近よくいわれます。形としては足の親指につながる骨のところがアーチを形成していないということなんですが、結果的にいうと、足の内側の力が弱いということになります。

足裏の内側の力が弱いということは、調べてみるとそれだけじゃなくて、脚全体の内側、脛《すね》とか腿《もも》とか、全体に内側の筋肉の力が弱くなるんですね。あまりにも多くの人がそういう状態になっているというので、その原因を考えてみると、一番大きな影響は、道が全部舗装されてしまっているということで、脚を、とくに膝を突っ張った状態でずっと立っているとか、あるいは歩いているときもずっとそういう状態で歩いていることきています。膝をピンと伸ばした状態というのは、内側に力が入りにくくて、膝とか腰に十分な弾力がある場合はまだそれでも大丈夫なんですが、ずっとそういう状態でいると、やはり脚の外側の筋肉が硬くなりやすい。脚の外側ということは、腰から背中の筋肉も同時に働きますので、腰から背中にかけて全体が緊張しやすいということになります。

そういう状態では、まず足からいうと、足のアキレス腱の部分が硬くなり、さらに外側全体が硬くなってしまう。そうすると、一つの方向としては、膝が変形しやすくなる。膝が痛いという人も今は非常に多いのです。もう一つは、足の親指の部分が外側の方に曲がってくるんです。これは、元来歩くときでも立っているときでも、親指の付根の所に力が入ってないといけない、あるいは走ったりするときにそこの部分でどうしても蹴らないと走れません。ところが、そこの部分を、内側に力がないにもか

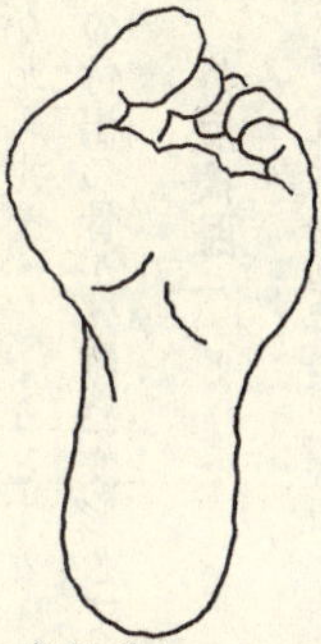

外反拇趾《がいはんぼし》
（足裏から見た図）

かわらずそうしようとするので、だんだんねじれてきてしまうんです。だんだん親指の付根の骨が外側に変形していきます。

外反拇趾

これは普通は老化現象といわれていて、年をとった人にとくに多いのですが、子供でも今かなり、いわゆる「外反拇趾」という状態に近い状態になっている。幼稚園などで調べた調査結果もありますが、半分くらいの子供がそういう格好になっているといいます。そうすると、ひとつは膝の所でねじれてきて、膝の血行も悪くなりますが、もう一つは骨盤全体が後ろに傾いてきてしまいます。これは硬くなった足の外側の筋肉によって、後ろの方に引っ張られる、あるいは下（＝足）の方に引っ張られるという形で、後ろにだんだん傾いてくるんです。この状態は、一般的には老化してきたときの状態で、とくに腰椎3番という腰の中心になる所が硬くなってしまいます。

これが小学生でいうと、例えば運動会のようなときに並んでいる状態をみても、高学年になるとかなりの子供が骨盤が後ろに傾いた状態で立っている（急に身長が伸びる時期になりやすい）。骨盤が後ろに傾いている状態というのは、足の内側の全体に力が入らないだけじゃなくて、気の流れからいっても、内側に気の流れが弱くて、血行も悪い、ということは冷えやすいということです。それが今度、足の冷えからお腹《なか》の下の方、下腹部の冷えになるんです。下腹部が冷えるということは、冷えるだけじゃなくて力もない、丹田の部分に力が入りにくいということです。老化して力がないということは全体に力がないわけですから、それなりにバランスがとれているといえますけど、若いということは、体力的にはエネルギーは持っているわけですから、エネルギーがあるわりにお腹に力がない。精神的にいうと丹田に力がないということは、自分から進んで何かをやる気になれないということなんです。

骨盤のねじれ――ギックリ腰、生理痛、便秘

実際には足の左右が同じように、今いったような状態にならないで、片方が、とくに左側が余計に冷えて、骨盤左側が動きが硬くなり、骨盤右側は外側に広がりやすい。そういうことになると、骨盤が右と左で傾き方が違ってしまいますので、結果的にはねじれるという格好になるんです。ねじれた場合に、一つには、子供では体全体が軟らかいのであまりありませんが、大人になるとギックリ腰を起こしやすい。慢性的な状態としては、女の人は便秘を起こしやすい。男の場合はどういうわけか、便秘にはなりにくいのですが慢性的な軟便という形になりやすい。もう一つは、ねじれただけ

でなくて、とくに骨盤の左側が余計に後ろに傾いて底部が硬くなった場合は、生理痛も起こすということです。かなり生理痛を起こす人も多いんですが、それだけでなくて、骨盤の中の血行全体がよくないから、膀胱炎にもなりやすいし、卵巣や子宮の血行が悪いので、器質的に障害はないんですが、機能的にはうまく働かないという人が結構出てきています。それが不妊につながっているわけです。どこも器質的には悪くないのに、妊娠しにくいという人が結構います。

腰への負担

これは腸の動きということにも関係があって、とくに小腸と盲腸の境目あたり、回盲部の動きが悪くなって、外からみた感じでいうと、お腹が張って、仰向けに寝たときに下腹部が肋骨より低くなるのが普通なのに、それがお臍の辺りを中心にマウンド状に盛り上がってしまうという形になるんです。例えば女の人でいうと、本来の状態のときにウエストというのは、かなりぎゅうぎゅう締めても大丈夫なのが、ちょっと締めただけで苦しいという状態になります。そうすると、お腹に力が入らない。これがまたさっきの腰の緊張を余計にひどくします。体はお腹と腰とで前後のバランスをとっていますから、前のお腹の方の力が入らないと、慢性的な腰痛を起こしやすいんです。

腸の動き――「過敏性腸症候群」

もう一つは、こういう状態になると、目の下に隈《くま》ができます。幼稚園くらいの子供をみても、目の下に隈ができている子がかなりいます。これは誰が見てもはっきり分るのですが、そういう子供はみんな今いったような傾向があると考えていいだろうと思います。腸の回盲部の動き、バランスがもうちょっと悪くなると、最近わりに多い「過敏性腸症候群」――大腸が必要以上に激しく動いたり、また急に動かなくなったりする。下痢をしたり便秘をしたり、激しい腹痛を起こしたりする場合があるんですね。小さい子供の場合は、あんまり激しい腹痛という形にはなりにくいようですけれど、お腹が痛いというので調べてみたけど、どこが悪いかわからないという子供がかなり増えています。

背中から首へ――頭痛、耳鳴り

また、この骨盤の状態から、お腹の力が弱くて腰の側が緊張しやすいだけでなくて、もっと上の方の背中全体が緊張しやすくなる。さらに背中から首までいくと、首の後ろ側の筋肉が強く張ってしまいます。そういう場合は、例えば**肩が張る**とか**後頭部が重い**とか、**目の奥が痛い**とか、**頭痛がする場合もある**。右と左の差が大きい場合は、とくに頭痛を起こしやすい、あるいは耳鳴りになる場合もあります。そういうことで、**足の元の部分のバランスをとるということが、結局全体的にかなり影響を与える**、そういう状態になっているのが実に多いということです。

膝を伸ばした姿勢

——今、お話しされたことに靴は関係ありませんか。

まず、平らな所がなぜ悪いかというと、体というのは建物と違って揺れながらバランスをとっているんです。野口体操の野口三千三さんの言うように(『原初生命体としての人間』三笠選書、現在は岩波現代文庫)、骨は体全体の袋の中に浮いているといった方がよい。例えば、真直ぐ立っているということは、よく背骨の状態だけが問題にされるのですが、そうじゃなくて、筋肉がお互いに引っ張り合っている状態なんです。出初め式の梯子みたいに、両方からお互いに一生懸命引っ張っているから立っているのです。それも、建築物と違って固定されているわけじゃありませんから、揺れながら立っている。そのとき足もとが平らだと膝を伸ばした状態になります。デコボコな所に立っている場合は、常にバランスをとらないと立っていられませんから、膝を少し緩めた格好で立つわけですね。膝をピンと伸ばす姿勢は現代的な姿勢といいますか、ぱっとスピードを上げて動くには、すごく合っています。ところが持久的なスタイルではない。なぜかというと、足の内側の、腿《もも》の内側の筋肉に力が入りにくい。

平坦な道と凸凹な道

おそらく、なぜ入りにくいかというのは、人類はもともと平らな所で生活していたわけではないですから、常に足の下はデコボコで、何万年か生きてきたわけですから、平らな所にいるようにできていないということですね。それが日本の場合だったらせいぜいこの二、三十年くらいの間に平らな所だけになってしまった。そのために、そういう不適応が出てきた。それで膝がだんだんそういう形で硬くなってしまって、うまく足の内側に力が入らないからバランスがとれにくくなってしまったのです。

この場合に、靴がデコボコな地面の代わりをしてくれれば、ある程度はいいんだろうと思います。靴の底が硬いかどうかも、ある程度影響があると思います。だけど、いずれにしても不規則にデコボコな地面の代わりはできないでしょう。例えば都会の舗装した道路では、足がすぐ痛くなるし、立っていると疲れるし、コンクリートの建物の中の床はもっと悪い。ところが山道みたいにデコボコな所を歩くと、結構何時間でも歩けますね。これはよくいわれますけど、何時間か山道を歩くと、「土踏まず」のない人もそれがある程度形成されてくることがあるんです。よくコンクリートの所は冷えると聞きますが、これはコンクリートが冷たいということよりは、真平らで硬いということの方が体への影響は大きいですね。硬いほど、平らなほど、結局さっきいったように膝が硬直しやすく膝下の血行が悪くなる。そうすると、膝が揺らぎを作りながら、揺れながら体全体のバランスをとるということが、うまく働かないということです。

膝と、腰椎、頸椎――ムチ打ち症

足では、足首にも揺らぎがあるんですけど、やはり**膝**が一番大きく全体のバランスをとる要《かなめ》になります。腰がその次で、**腰椎3番が揺れの中心**になっています。しかし揺れの中心になる膝が硬くなってしまうと、腰椎3番も硬くなってしまう。素質的に筋肉が軟らかいとか、若いとかの条件があると、それでもある程度腰椎3番を揺らしてバランスがとれるんですが、それもうまくいかなくなると、腰全体も硬くなってしまいます。

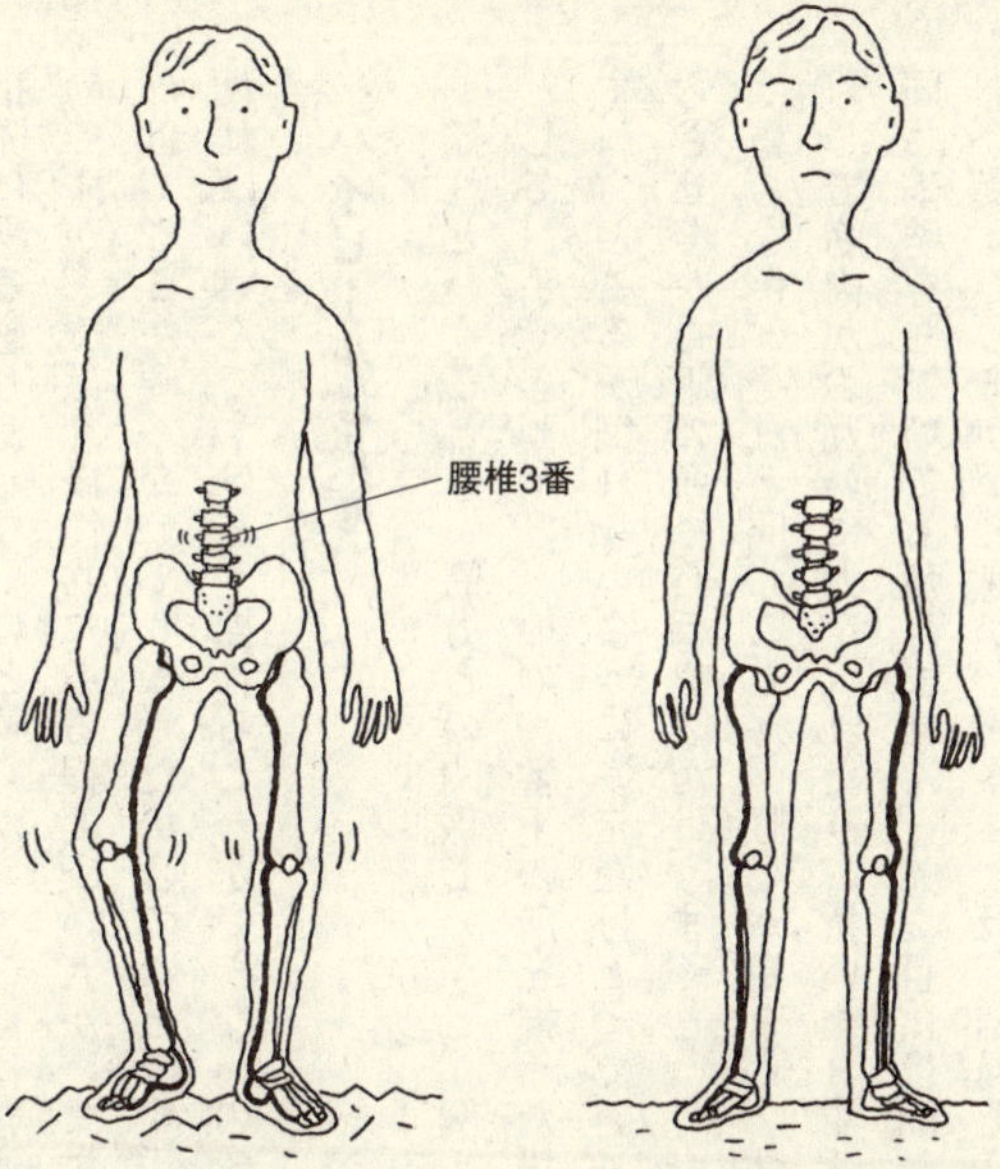

◎〔凸凹な足もと〕
・膝が微妙に揺れてバランスをとる
・腰椎３番も揺れてバランスをとる（弾力ある状態）
・脚内側に力が入りやすい
・下腹部に力が入りやすい
・土踏まずに力が入りやすい
・全体にリラックスしやすく疲れにくい

×〔平坦で硬い足もと〕
・膝硬直
・腰椎３番硬直
・脚外側の筋肉が緊張しやすい
・背中側が緊張しやすい
・外反拇趾になりやすい
・全体に緊張感高く疲れやすい

揺れてバランスをとる（平坦な場所・凸凹な場所）

もうちょっと上で、首の所だと、**頸椎5番**が、やはり揺れの中心で、触るとしても指先に当る感じがしないほど軟らかい。これは普通は、そうは硬くなるものではないのですが、やはり慢性的にある程度硬い人がいます。よくいわれる**ムチ打ち症**というのは、ここが硬くなってしまった場合のことです。揺れながら首を真直ぐ立てていられればいいんですけど、揺れることができないので痛くなるんです。

ハイヒールは最悪

揺れということを、筋力との関係でいうと、例えば長い棒を手のひらの上に立てるとして、手でぎゅっと、棒の一番下の所を握った場合、真直ぐ立てるには力がいりますね。ところが倒れないように安定だけとっていればいいという考え方だと、ぐらぐらさせながら下の所でバランスだけうまくとっていって、重みを支えるだけでそう力はいらない。それと同じことが、腰とか足とか、体全体にいえて、うまくぶらぶら揺らして筋肉がお互いに力を入れたり、抜いたりする細かい運動をできる状態であれば、同じ姿勢をしていても疲れません。見た目には同じ姿勢でも、中身が違うわけです。疲れすぐ疲れてしまうかどうかということは、結局そういうことだろうと思いますと筋肉や全体との関連もそこらへんにあると思います。

——ハイヒールはよくないですね。

ハイヒールはもう最悪ですね。踵《かかと》が高いほど膝が伸びきってしまいますし、しかも硬い所を歩くんですから、アキレス腱が縮んだまま硬くなってしまいます。一時男のヒールの高いのがありましたが、そのころにスキーなんかでアキレス腱を切る人が多かったですね。スニーカーは最近は多少東京でも流行っていますけど、ニューヨークなんかでOLが履いて通勤したりしているというのは、本当に必要上、出てきているんですね。欧米の方が遥かに前から舗装されていて、足の骨の変形とか、昔からすごく多いといいますね。ですから日本よりはそういうことが考えられているといえるでしょうね。

筋肉が背骨を支える

——そうしますと、前の方の筋肉が力が抜けているということは、いずれのときも後ろの方は縮んだままだということでしょうか。

そうですね。足の場合は前というよりは、内側といった方がいいですね、お腹の場合は前です。とくにお腹でいうと「腹筋を鍛える」とよくいうでしょう、腹筋、いわゆる腹直筋（次頁図③）という真中の筋肉が力が抜けている人は、めったにいないんですが、その周りの横の筋肉、あるいは大腰筋《だいようきん》（次頁図⑤）という足と腰の骨をつないでいる筋肉、実際にはそういうところの力が抜けてしまった人が多いです。お腹の脇の方には外腹斜筋、内腹斜筋（次頁図④）という、斜めに広い、覆いみたいな筋肉があるんですね。それがぎゅうっと周りから包むようにして支えているんです。背骨は、鉄骨みたいに自分で立っているように見えるんですけど、実はそうじゃなくて、たくさんの骨があるわけですから、筋肉で周りからバランスよく引っ張ってやらなければ、うまく立っていられないのです。

もっとも、年をとってくると、骨のカルシウムが溶け出して変形しやすいとよくいわれますけれども、その場合は背骨が硬くなるから全部悪いんだとは簡単にはいえないんです。関節が多い所ほど、微妙に支えなくてはいけないですから、むしろ年をとって、周りから支える筋肉の力がなくなってしまった場合、硬くなって固まってしまった方が支えやすいということもあるんです。それは老化という、体力が衰えてくることに対する一つの適応ですから、硬くなったときの格好の問題もありますけど、一応硬くなった方が楽だという面もあるんです。それで腰が曲がるのが、必ずしも全て悪いんじゃなくて、腰が曲がってしまった方が楽だから曲がるという面があります。お腹に、とくに力が抜けてしまった場合は、腰を曲げてしまった方が楽なんですね。

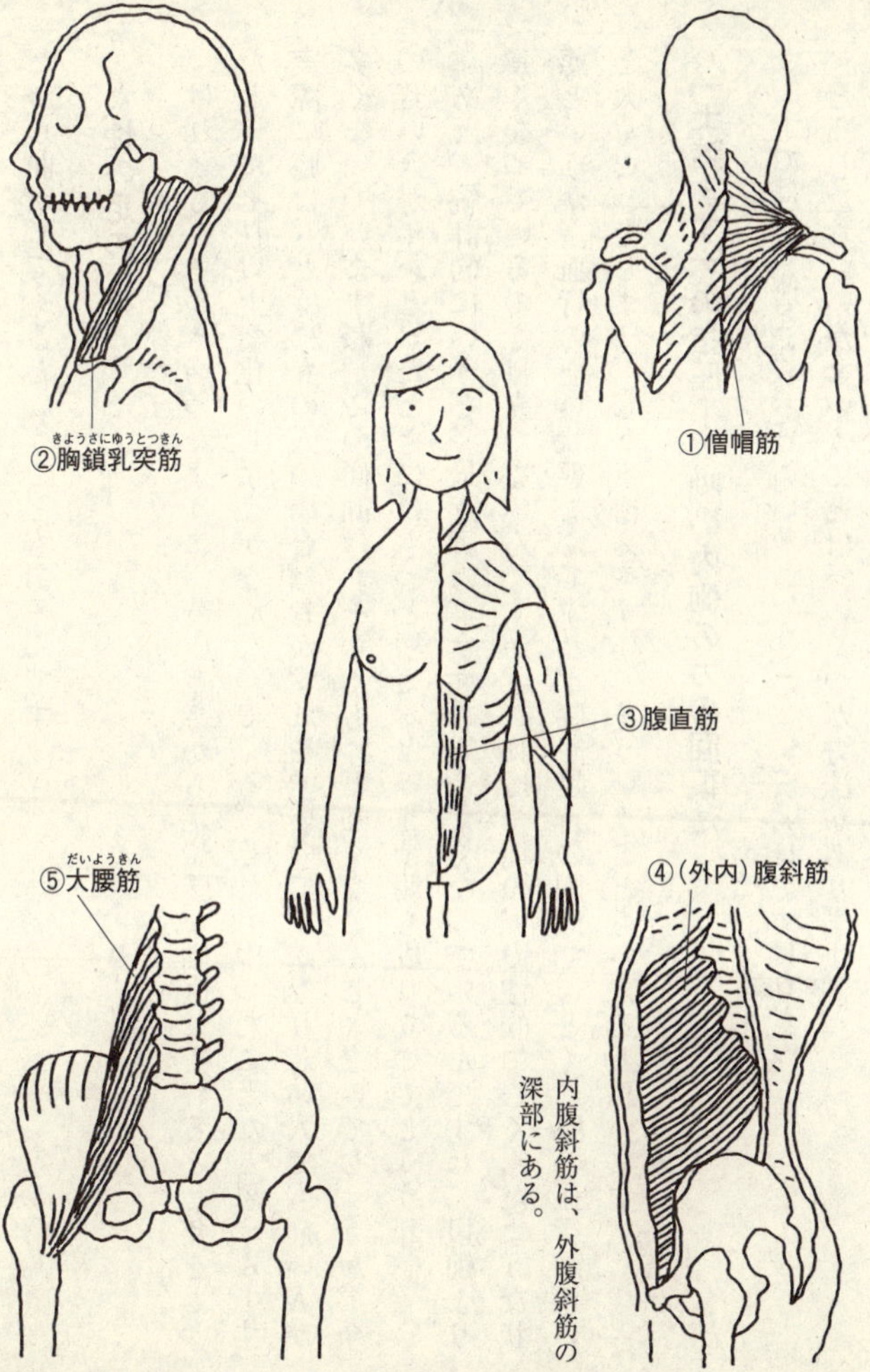

内腹斜筋は、外腹斜筋の深部にある。

だから曲がってくるということもあるんです。

女性の足のむくみ

けれども、さっきいったように、若いときから足や腰が硬直していると、年をとったときにそれ以上変化のしようがなくなってくる。それも困ったことだと思うんです。実際に膝は、とくに女の人の場合は骨がずれやすいので、かなり若い人でも痛い人が多くなっていますね。この傾向はおそらくもっと強くなるんじゃないでしょうか。今の若い人が年をとったときにはもっと増えるという予測も成り立つでしょうね。

あと、統計的にいうと、最近脚は、女性の場合太くなっているんですね。以前より長くなっているので目立たないんですが、これは一種の、慢性的にむくんだような状態というか、血行の悪い状態なんですね。膝や足首の関節で、とくに膝の血行が悪いと太くなってしまう、しかも冷えやすい。そういうこともいえると思います。

「土踏まず」の指圧——脚の内側の力の回復法

——では、一体どうしたらいいかということになるわけですけれども。

どうしたらいいかということは、いくつか方法があります。

例えば、足から考えると、**足の親指につながっている部分の骨を刺激してやる**（一二九頁図①）。そこに力がないとかなり痛いんですが、刺激されるとそれだけで脚の内側の筋肉が働こうとしますから、それで運動させるのと同じことです。これは山道を歩いているのと同じで、山道を歩くことそのものが、下がデコボコで、バランスをとらざるを得ないから、どうしても内側の筋肉を使う。それで**内側の筋肉に力が入ってくる**ということです。だから**足のそこの所を指圧してやる**（一分以内で充分）、鍛えてやるということで、できます。

膝、足首、骨盤を変える呼吸法

もう一つは、呼吸法でできます。例えば**膝が硬い場合**は、足の**薬指の骨と中指の骨の間**の幅が狭くなってしまうんですね。それを広げるようにして押さえてやると、痛いですけど、膝の部分の血行がよくなる。**足首の場合は小指と薬指の間**です。**骨盤の場合は親指と人差指の間**です（中指と人差指の間は消化器系の氣の流れをよくする）。指といっても先の方じゃなくて、足の甲の部分のあたり、または指の間の水かきのような部分です（一二九頁図②）。そこを押し広げてやることで**氣の流れがよくなる**ということです。

それとあと、**親指をぎゅっとそらした格好にしてからゆっくり戻す**。この間数呼吸。(図③)すると、脚の**内側の気の流れがよくなります**。また、指を曲げながら**足首全体を甲の側に「伸び」**をするような感じで(膝を伸ばした状態で)**そらせてもらう**(図④)と、やはり**内側全体の気の流れがよくなり、あたたかくなってきます**。さらに足首をフーッと元に戻しながら、指の先から吐くような気持で、**息を吐いてやる**と、この所の気の流れがさらによくなるんです。内側の気の流れがよくなれば、**足の内側の筋肉に力が入りやすくなります**。

もう一つ。足の指全体を湧泉をてこにするようにしてぎゅっと足の裏側の方に大きく曲げてやるという格好にする(図⑤)と、**アキレス腱が緩みやすくなります**。その場合ツボでいうと足裏の「湧泉」といって、足のエネルギーの流れを最終的に足の先から発散させてやる中心になる所ですが、その湧泉が、曲げることによって刺激され、曲げているうちに足のそこから指にかけて、じーんとくるような感じに、細かい振動が出てくるんですね。そこでさらに足先をフーッと元に戻しながら、この**湧泉のあたりから吐く**ような気持で息を吐いているようにすると、アキレス腱の緊張が緩んでくる。**脚の外側全体が発散がよくなって**涼しくなり、外側の筋肉の緊張も緩む。それもやはり**内側に力が入りやすい状態になります**(巻末「気の流し方」参照)。

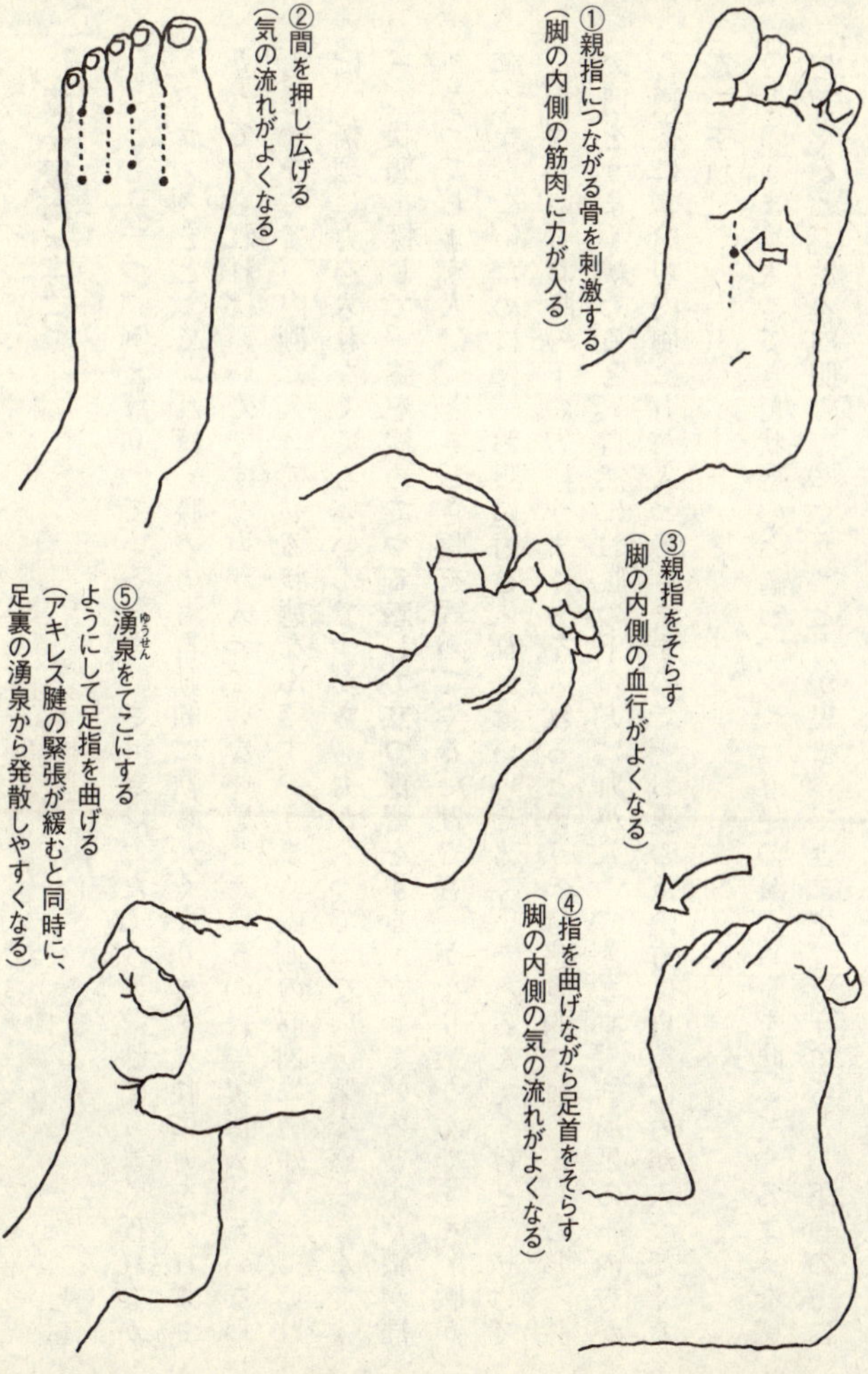
①親指につながる骨を刺激する
（脚の内側の筋肉に力が入る）
②間を押し広げる
（気の流れがよくなる）
③親指をそらす
（脚の内側の血行がよくなる）
④指を曲げながら足首をそらす
（脚の内側の気の流れがよくなる）
⑤湧泉《ゆうせん》をてこにする
ようにして足指を曲げる
（アキレス腱の緊張が緩むと同時に、
足裏の湧泉から発散しやすくなる）

膝を緩めて立つ

あともう一つ。例えば立っているとき、さっきいったように、膝でうまく揺れながらバランスをとっていれば、腰の方も自動的に軟らかくなります。膝に力を入れず、立っていられればいいんです。力が入っていない感じというのは、実は入っていないんじゃなくて、内側に入っている状態なんです。うまく内側の筋肉に力が入っていれば、無理に力を入れなくてもいいんですから、力が入っていない、楽な感じなんです。その状態を探して、**膝を緩めてやる感じで立つ練習をする**。立っているとすぐ腰が痛くなってしまう人は、ときどき膝を緩めてやるだけでも、かなり楽なんですね。腰が硬くならないためには、お腹に力を入れればいいとよくいわれるんですけど、抜けてしまっているお腹の下の方にうまく力を入れるというのは感覚的に難しい。むしろ膝の所をうまく緩めると、自然にお腹の下の方に力が入ってきます。結局足の下の方から順番に筋肉の内側に力が入ってきますので、お腹の下の方に自然に力が入ってくるんですね。

そのうまく入ってきた状態のところで、やはり足の裏から息を吐いてやるような感じでやると、足の内側の方にぐうっと力が集まってきます。そうすると、下腹の方に力を無理に入れようとしなくても、自然にぐうっと入ってくる。そういう感じになると、感覚的にいうと、足が軽くなるんですね。足が軽くなるという感じが、お腹の下の方にうまく力が入っているんですね。足の内側にうまく力が入っている状態なんです。それがだいたいできていれば、いいんですね。ふつう、日常的には、それだけでもかなり違います。

夏の足首の冷え

あと、夏の場合には、冷房で、足首がとくに冷えやすいので、なるべく冷えないような注意が必要です。なぜ夏はアキレス腱のあたりが冷えやすいかというと、夏暑い状態のときは、熱をうまく発散させてやらなければならないからです。夏と冬の違いというのは、結局、冬はなるべく熱を体の中にためるような状態、夏はなるべくうまく出してやるということが必要で、逆に冬は夏と比べて足首は引き締まった状態になります。熱を逃がさない格好ですね。冬は骨盤もギュッと縮めて熱が逃げないようにする。

夏の場合は足首で調節する。膝はもう、夏の前に軟らかくなってきています。熱を発散しやすい状態に、春の頃から変化していきます。夏、だいたい気温でいうと最高気温が二十五度くらいのところになると、足首でバランスをとろうとします。足首からうまく熱を逃がしてやらなければいけない。ところが、冷房の所に入ると、とくに床の近くというのは、温度が低いですから、熱を逃がさないように急に足首がぎゅっと縮もうとするわけです。その縮んでしまったままで、また暑い所にでると、今度は緩まなくてはいけない。その出たり入ったりで、うまく適応ができればいいんですけど、できない場合がかなりあって、そうすると足首が硬いままでいることになります。そうすると、うまく気候に適応できていないということになって、体の感じでいうと暑苦しい。

同じことでも、例えば子供だったら、夏いくら暑くなっても、暑苦しいという感じを持つ子は少いんです。あんまり暑い、暑いと文句をいいません。わりに足首が硬くならないのと、大人ほど冷房の所に出たり入ったりしないからだと思うんですが、大人の場合にクーラーがないといられない、暑苦しくて寝られないという状態は、足首が完全に硬くなってしまって、うまく暑さに適応できていないということです。一度そういうふうになってしまうと、またクーラーを入れるので、さらに冷えてしまうわけですね。結局ずっと不適応なまま夏を過ごしてしまうことになります。

そうなると、汗のかき方も、少くなってしまうことがある。汗は、体の中のいろんな老廃物を出してくれたりして、おしっこという形でもいろんな物が出るんですけど、一種の透析をしているようなものですから、体にいいわけですね。それがうまく出なくなってしまう。そういう点で、足首や膝は、健康を調節する機能があるということです。

ほてる足

——足首はむしろあっためた方がいいんですか。

むしろ足首をあったかい状態にしておいてやると、夏はかえって涼しいですね。よく足がほてるという人がいますね、足を布団から出して寝ないと眠れないといいます。そういう人は足首から熱を発散できないために、足の裏が熱くなってしまうんです。この場合、そういう人の方が脚が冷えて、足首が硬くなっている。ひどい人になると、冬でも足を出していないと寝られないと言う。これはもう足の血行がかなり悪い人です。同じ「冷え」でも、すごく冷えを感じるという人もいますが、そこの所に発散すべきエネルギーがたまってしまって熱いという人もいるわけです。それは本当は流れがよくないんです。

男の過剰適応

逆に手や足がすごく冷たくなりやすい人に、うんとエネルギーの流れがよすぎて、どんどん出ていってしまうので冷たいという人もいます。それは流れがいいんですから、不健康ではないのです。また、冷房の所に入ると寒くていられないという人がいるんですけど、それはそれで敏感に反応しているんですから、悪くない。それは男と女でいうと、女の方にすぐ反応する人が多くて、男の方に反応しない人が多い。というのは、おそらく男の方が今の社会に対して――子供では男も女も変化がそんなにないですから――それだけ過剰適応している、硬直した適応の仕方をしているということだろうと思います。

座る姿勢

――先ほどから立っている場合についてお話しいただいてきたんですが、座っている場合はどういう状態がいいんでしょうか。

座った状態ではやはり腰椎3番が軸で、それが細かく揺れている状態が安定した状態なんです。ところが、例えば座った姿勢で腰椎3番が硬くなってしまう姿勢があります。それは人によって違いがあるから、一概には言えませんが、硬くなってしまう姿勢は、とにかくよくない。それも寄りかかっているときと、寄りかかっていないときで当然違いますが、正座というのは、だいたいいいんです。なぜなら正座をしているときは足の内側とお腹の下に力がうまく入っていないと、すぐしびれてしまうんで、正座していられない。正座をし続けられるということは、お腹にうまく力が入っているということです。また、膝が柔らかく使え、脚の内側に力が入りやすいということが同時に下腹に力がうまく入りやすいということであり、正座もしやすくなるということでもあります。

子供を見ていると、テレビなんかつまらないと、ぐでぐでした姿勢で見ていますね。ところが面白いと思うようなものは知らないうちに、正座して真剣になって見ているんです。本なんか読んでいても、真剣になってくると、正座して読むんですね。それは、それだけ面白いときは、いい意味での興奮状態でお腹に力が入っているんですね。とくに正座はそういう姿勢だということですね。あぐらをかくのは、うまくやればそういういい姿勢になるんですが、そうじゃないときもありますね。

不眠と腰椎の関係

その他、電車なんかで、座っていると眠たくなるときがありますね。その場合は腰椎1番が上にあがっているか（二六三頁の図6参照）、硬直している。または腰椎5番（正確には腰椎5番と仙骨の間）が硬くなっている場合です。浅く腰掛けて寄りかかるという姿勢で、そこの緊張が緩むんですね。緊張がふっと緩むと、リラックスして、眠くなってくる。また、ひどい場合は、横になると眠れない、座っていると眠れるという人がいます。昼間、座っているといくらでも眠たくて、夜になると眠れない。そういう人は、とくに腰椎5番が硬直してしまって一種の不眠症になっている場合もあります。いずれにしろ、立っているときの場合と同じように、弾力のある状態がいい。その状態が保てる状態であれば、座っていても疲れません。

正座とお腹の力

昔は背筋をちゃんと伸ばすためには正座しなさいと、よくいわれましたけど、ただ、無理して伸ばしてもうまくいかないんです。自然にお腹の下に力が入って伸びている格好ならいいんですが、人によって、真直ぐすぎるという人がいるんですね。こういう人は疲れやすいんです。背骨が、横からみてあまり真直ぐだというのも、おかしいんです。むしろ、姿勢が真直ぐかどうかよりは、弾力の方が大事です。お腹でいうと、脇腹が座ったときにぎゅっと引き締まって力がある状態であれば、安定しているんです。腰の後ろ側を触ってもあんまり硬くなくて、お腹を触ると下の方にぐっと力が入っている、そういう格好がいいわけです。普通は、ちょっと姿勢が悪いと腰の方ばかり硬くなってしまって、お腹のほうの力が抜けているということです。腰掛けるんでも、こういった状態が保たれていれば、もちろんいいわけです。最近はあんまり軟らかい椅子は疲れることが分ってきて使わなくなりつつありますね。

足と腰については、細かいことは別として、一般的にいったら以上のようなことです。かなり一般的なことなんで、ほとんどの人が該当すると思います。

肩・首・頭

肩の凝りと声帯

――体の歪みはもちろん足や腰だけでなくて、上半身にもあるわけですね。

上半身の場合、肩と首、頭の方まで含めてということになると思いますが、例えば、基本的には筋肉でいうと、首では代表的には**胸鎖乳突筋**《きようさにゆうとつきん》（一二五頁図②）という首の横の筋肉、それから首の後ろ側の**僧帽筋**（一二五頁図①）という頭蓋骨から背中、それから肩の方にいっている筋肉、これがよく首や肩が凝るというような場合に緊張している所です。どうも日本人の場合は肩が張っている人が多いように思いますね。最近、朝日新聞（一九八八・五・一九）の「論壇」に荒谷起吉三さんというボイストレーナーの投稿がありましたが、日本人は声を潰してしまう人が多いというんです。その理由を、体の関節、とくに、背骨と股関節の周りの筋肉が硬くて、声帯に余分な力が入ってしまうからだと言っているんですが、実際に背骨に緊張があるということは首とか肩にも緊張があるわけで、背骨でいうと頸椎6番という所が特にねじれてしまっていると、声がかすれてしまって小さな声しか出ないということになります。お腹の下の方にうまく力が入っていないために大きな声が出ないんですね。それを無理して大きな声を出す練習をやると、この人の言い方だと、サイドブレーキを引いたまま走らせているようなものだ、ということになりますが、確かにそうで、一方で筋肉が緊張して声が出にくいような状況なのに、出そうとして声帯が壊れてしまうんですね。

それと似たようなことを、普通の行動の中でもずいぶんやっているんですね。緊張してしまっているということは、それ以上無理をしてはいけないということなんですが、その無理をさらに重ねて体を壊してしまう。日本人の場合はおそらく、肩が凝るような行動様式とか、社会の在り方とかの中に、無理して抑える何かがあるんだと思います。

長く見える首

首の周りの筋肉のバランスがいい状態というのは、後ろから見て、首がすっきり長く見えるという状態です。それは上の方がぐっと締まっていて、肩にいくに従ってなだらかに裾野が広がるような感じになっていて、肩が持ち上がっていない。肩の骨の感じでいうと、肩が自然に、肩胛骨《けんこうこつ》が軟らかくぶら下がっているような感じになっているのが一番いいんです。元来の体癖《たいへき》によって「怒り肩」の人は別にして、そういう状態が、丹田に力が入りやすい、集中しやすい状態なんですね。それが、肩が持ち上がってしまったりとか、背中の骨が上の方に引っ張り上げられているような、何かをしょっているような格好になっているのは、エネルギーが上の方に集まってしまっているんです。

短く見える首・太って見える肩

肩胛骨の周りの筋肉が張ってしまって盛り上がっていると、首が短く見えます。それは、首も肩の周りも緊張しっぱなしの状態と考えていいんです。そういう場合には肩胛骨が、肩の端っこの方に寄って、左右の肩胛骨の間が広がってしまった状態になるわけです。すると、女の人の場合はとくに、肩の周りに肉がつきやすくなる。「二の腕」が太くなったり、余計に太った感じに見えるようになってしまうんですね。逆に肩胛骨が内側にぐうっと寄って上に持ち上がった場合（＝いかり肩）には、太れなくなって、ガリガリの感じになります。前者の場合、周りの筋肉を緩めて肩胛骨の所の緊張をとってやると、肩胛骨の周縁のライン、とくに背中側から見て肩の上の部分のラインがよく見えやすくなる。すると体重はたいして変わらないんですけど、本来は肉がたくさんつく所じゃないですから、痩せて見えます。首なんかもきれいに見えるようになるということですね。

首に体力が表れる

基本的に首は、きれいに見えるのがいいことなんだと考えていいと思います。体力も首に見た目にもわかりやすく表われる。首だけは年齢を隠せないと一般的にもよくいわれます。しかし触ってみて、首に力と弾力のある人は、年齢に関わらず体力のある人、また身心のバランスをとる力のある人だと考えていい。あるいは、首から後頭部まで含めて、弾力のある状態というのが、体力のある状態だと考えていい。例えば、人が亡くなって、火葬され、骨になって一番形が残りやすい骨は、喉仏という骨ですね。あの骨は頸椎2番の骨です。なぜ残りやすいかというと、一番しっかりしていなければいけない骨だからだと思います。形になって残りやすいということは、それだけそこの部分が大事だということで、最後に大事な部分が残るということですね。

頸椎と症状——目・耳・鼻

首でいうと、この**頸椎2番**という所がたいへん大事な所で、これはおそらく、脳とそれ以外の体の部分をつなぐ橋みたいになっていると思います。**目の疲れ**とも関係があるし、**人に神経をすごく使った場合**、そこが硬くなる。ストレスで胃潰瘍になりやすい人なんか、頸椎2番が硬くなりやすいんです。さらに、首でいうと、頸椎2番と頭蓋骨にくっついて動く頸椎1番の間がねじれてしまうことがよくあるんですが、これも**頭痛**や**目の奥の痛み**とか、それからおそらく頭蓋骨と首との間の血行に、かなり関係があるようなんです。子供はそこの部分がねじれると**中耳炎**になりやすくなります。あと、クラッと来るタイプの**めまい**や**立ちくらみ**、**脳貧血**にいく場合もあるんですね。**頸椎3番**あたりだと、**鼻**に直接関係がある所です。頸椎3番と4番の間が硬くなってしまうと、回転性のめまいあるいは浮遊感のある**めまい**を起こしやすくなります。これもめまいに関係があるんですが、ねじれやすい所です。

もう一つ下の**頸椎4番**という所は、**耳**に関係があります。**難聴**の子の4番を触ってみると力がない。ぐらぐらしている感じで、聞いてみると、赤ちゃんの頃に首の据りが悪かった子が多いんです。おそらく4番の力がないために、なかなか首が据らなかったんだと思うんです(耳鳴りや突発性難聴の場合は頸椎4番と5番の間が硬くなり、動きにくくなります)。

また、そこの所がしっかりしてくると、体のバランスがとれて真直ぐ歩けて、ふらふらしない。これは耳の平衡感覚と関係があるのかもしれないし、直接そこの神経が脳と関係あるのかもしれません。

ムチ打ち症

それから、「ムチ打ち症」は日本人にとくに多いとよくいわれるんですが、**頸椎5番**が、腰椎3番と同じように、首のバランスをとる中心になっています。そこが硬くなってしまうと（「ムチ打ち症」の場合は頸椎5番と6番の間が硬くなる）、首を真直ぐに立てているだけでも痛くなってしまう。ここは常に揺れ動いて、首のバランスをとっていないといけないんで、軟らかくなくちゃいけないんです。触って、揺すってみて弾力を失っているようだと、すぐ首が痛くなったり、頭が痛くなったりしてしまうという所で、腰椎3番と同じ働きをする、大事な所です。

甲状腺の腫れ

頸椎6番という所がねじれて硬くなっていると、さっき言ったように声が出にくい。**甲状腺**にも関係があって、ねじれていると甲状腺が腫れやすい。もう一つ、よく首が痛くて全然動かなくなってしまう場合がありますが、それは**頸椎7番**がねじれてしまった時で、ひどい場合はどの方向にも全く動かない状態になるんです。これはギックり腰とよく似ている。6番、7番という所は、そういうふうにねじれやすいんですね。

熱の発散は肩の周りから

肩の周りは、熱の発散、つまり冬の場合だと体から熱が逃げないように、夏の場合は熱をうまく発散させてやるということと関連があります。冬、とくに寒い国で、首の周りを厳重に守るのは、首から熱を発散させないようにして、体温の消耗を防ぐわけですね。夏は、逆に熱が逃げていってくれないとバランスがとれなくて、暑苦しいという感じになりますが、といって冷房の所に入ると、胸の側の筋肉がぎゅっと縮んでしまうわけです。これは熱が逃げないようにバランスをとろうとするからですが、今度縮んでいるのが慢性化してしまうと、冷房なしではいられなくなったりして、すごく熱の発散の仕方が悪くなってしまいます。そういう状態だと肩の周りを触ってみると、熱がこもっているような熱い感じになっているんですね。夏にだるくなってしまう、夏が苦手だという人は、そこらへんが詰まっていると考えていいと思います。

後頭部の弾力と集中力

首のいい状態というのと関連がありますが、後頭部に弾力がある状態は、集中力がある状態です。触ってみて弾力があって引き締まっているという感じが、いい状態で、それがある程度以上硬くなり過ぎてしまうと、集中力があるというよりは、疲れが抜けなくなってしまっている状態ということになります。ある程度神経を使って疲れてしまうと、硬くなってしまうんです。

肩胛骨と腸骨の連動

——さっきの足腰と肩の関係なんですが……。

肩胛骨は基本的には骨盤、骨盤の中でも腸骨という両側の骨と連動していて、骨盤の方にねじれがあると、やはり肩胛骨も同じように動いていると考えていいんですね。例えば老化ということで考えると、骨盤が後ろに傾いてきて、外側に広がってしまうんですが、だいたい肩胛骨も外側に広がってきやすいということです。外側に広がっていく人は太りやすいし、骨盤が同じように後ろに傾くんで、後ろに傾く率の方が高くて、あまり横に広がらない人は、痩せていきやすい。肩胛骨自体が後ろに傾いて、真中によってきたような状態になってきて、肋骨は全体が下がって胸が薄くなってきている状態、例えば鳩尾《みぞおち》のあたりでいうと、肋骨の下縁が富士山みたいな格好をしていますね、それが狭くなって、角度が狭い鋭角の状態になってしまうんで、そうなるとどんどん痩せていくんです。

肩に力が入ると丹田の力は抜けてしまう

背中の筋肉が緊張すれば、腰や背中だけじゃなくて首の方までいきますから、首や肩だけが緊張していないということはないですね。それで、体全体の関連としては、丹田に力が入っていれば、肩の周りは抜けているということになります。いい状態というのは、そういう状態なんですね。「肩に力が入ってしまってはいけない」という言い方がありますが、スポーツをやる場合でもそうですし、精神的な意味でも「肩に力が入りすぎだ」というようなことがよくいわれます。基本的にはそういう状態は、うまく体を使えないということです。

例えば表現としても、「腹を括《くく》る」とか、「腹を割る」とか、「腹が立つ」とか、「腹に据えかねる」とか、「片腹痛い」とか、そういう表現はあまり今使いませんね。今は、「頭にくる」とか、「肩が凝る」とか、「むかつく」とか、「吐きそうだ」とか、「頭がくらくらする」だとか、そういうどんどん体の上の方に言葉の表現が、向かってきているんですね。昔に比べてそれだけ頭の方に、意識が集まっている、気が集まっているということですね。それだけ、逆にいうとお腹の方から力が抜けているということだろうと思います。

頭と腰との関連でいえば、腰椎1番が硬くなる、あるいは上に持ち上がった状態になると、すぐ上の胸椎12番も影響をうけて横隔膜の緊張が高まって呼吸が小さくなり、眠りが浅くなります。気が胸から上に集まってしまい、頭が特に興奮状態になるわけです。逆に頭の過労が呼吸の状態、腰の状態に影響するということもいえます。

腰椎1番は足先を少し高くすると緊張がゆるむので、仰向けで足首のあたりの下に座ぶとんを敷いてやるのも有効な方法です。

肋骨《ろっこつ》と食欲

つぎに胸についても少しふれておきますと、肋骨が持ち上がっている（仰向けに寝て胸がたかく盛り上がり、下縁の部分が広がって見える）人は、たくさん食べられる人です。つまり食べるスピードが速くて食べすぎやすい。食べすぎていると肋骨がねじれ、左右の厚みが違って見えます。また同じ人でも、体全体が興奮状態あるいはエネルギーが強いときには持ち上がり気味になります。例えば旅行中など興奮気味で、普段よりもたくさん食べられるという人がいるわけです。

老化

歪みを経過として読む

――今、うかがってきたような体の歪みが人それぞれにあるとして、それをどういう眼でみるかということですが。とくに老化現象の場合ですね。

実際に体をみた場合に、いろんな情報がそこにあるわけですね。それをどういうシステムで読んでいくかが、実際のやり方につながっていると思います。整体の場合、背骨の弾力や、筋肉を具体的に読んでいくわけです。それで今、体がこういう状態だと判断をしたり、背骨のここに狂いがあるから矯正するんだという考え方であると一般には受けとられていると思います。

そうじゃなくて、それは一応そういうふうに読むんだけど、バランスが崩れているというのは、ある面では自然なんだということもできます。今の「歪んだ」状態は全体の流れの中の途中一つの位置を占めているにすぎなくて、そこから時間的にこういうふうな経過で、こういうふうになっていくという見方です。今のところだけをみるんではなくて、長い経過の中でみるという考え方がおろそかだと、ちょっと間違えるということだと思います。

おそらく、野口さんの整体というのは、その経過を含めて考えたところが違うと思います。それとさらに個性ということ、一人ずつ反応が違うわけだから、経過も違うということを考えたところが、違うんですね。普通はここが狂っているからとか、医学的にいうと、ここが悪いからここを治すというような、そういう発想なんですが、それは一つの静止画をとらえているわけです。ところが、実際には経過というのがあって、その中で変わってくるわけで、一つの病気だけをとり出すんではなくて、それをきっかけとして体がどういうふうに、その後変わってきて、それからどうなるのかというようなところまで、見通して考えるところが、大きなポイントなんだと思います。

四十肩・五十肩は治る

例えば、四十肩とか五十肩というのがありますね。確かに骨に狂いが出るし、だいたいみんな同じような格好で痛くなるんですけど、四十肩や五十肩を、病気や何かの疾患だと考えるかどうかという問題です。痛いですから、何とか早く治したくなります。ところが四十肩とか五十肩というのは、治そうとしてもなかなかよくならないんですが、ほっといても必ず治るんですね。無理なことをして長引くということはあるかもしれませんが、治らない人はまずいませんから、何か体にとっての必要があるんだと考えた方が正解だと思うんですね。結果としてそういう時期が必要になっていると考える方が当たっているだろうと思います。

四十肩・五十肩は血管系を守る選択

そういう見方でいくと、四十肩・五十肩は胸椎2番がねじれているんです。そこは血管系全体に関係があると考えていいのです。心臓とか、脳とかの——心臓の場合は血管以外の部分の病変もありますけど——主に血管の病気ですね。血管が老化していくことの中枢の位置をかなり占めていて、ある時期に硬化しやすい方向にいくか、それとも弾力を保つ方向にいくかの分かれ道のようなところがあって、そのときに胸椎2番がねじれないままでいると、どんどん硬くなってしまう、うまくねじれると弾力を保った状態でいられる。うまくねじれて肩関節の方にしわ寄せがいってくれると、確かに胸椎2番が硬くならない。そのあと肩が治って元に戻ったときに、真直ぐのいい位置で弾力がある状態に戻ることができる。つまり、肩という一部分にしわ寄せはいきますが、老化によって体のバランスが変わっていく期間に、うまく血管系——一番大事な部分を守るという一つの体の選択なんだろうと思います。

胸椎2番というのは、もう一つ、がんになりやすいタイプの人が硬くなりやすい所です。頑張り過ぎてしまうと胸椎2番が硬くなりやすい。背中でいうと、下を向いたときに一番出っ張る首の骨が頸椎7番ですから、その二つ下、背中の一番上あたりですね。胸の側でいうと、鎖骨のすぐ下、ちょうど胸骨がネクタイの結び目みたいな格好をしている所、ここも硬くなるんです。そこらへんが硬くなるのを避けるための、一つの選択だと考えられます。四十肩・五十肩になったり、「更年期」症状が出るような老化の節目＝変動期に無理をしないでうまく体を休めることが、一番の対策です。

生理と動脈硬化

女の人の場合は、生理がある間は動脈硬化を起こさないという特徴があって、心筋梗塞も生理がある間はならないんですが、ある時期になるとホルモンの出方が少なくなってしまって、そうすると、新たにバランスをとり直さなければならないわけで、何か変化していかなきゃいけない。そのときに胸椎2番が硬くなってしまうか、硬くならない状態でいけるか、他の所を硬くしてしまっても、そこの所でうまく守れば有利なんだという選択だと思います。

その場合に、目もかなり関係ありますし、耳も関係あります。目とか耳が、ある面ではあまり働かなくなったということによって、他の所を守るということもあると思います。そういう点では、老化というのは一般的にはイメージがよくないですけど、そうじゃなくて、本当は時間的な経過に対して体が楽になっていくような適応の仕方なんです。本来は大変になっていくんじゃなくて、楽になっていく方向での適応の仕方だといえます。

がん化と老化の分れ道

一般的には年をとるとがんになりやすいですから、がんになる傾向と老化の傾向というのは、同じような感じがするんですけど、実はちょっと違っていて、体のがん化と老化というのは、隣合せくらいに位置していて、がん化していく方向もあり得るし、老化していく方向もあり得るんだろうと思います。例えば乳がんが増えているのは卵巣のホルモン（エストロゲン）の活動期間が長くなった（初潮が早くなり、少産子化し、閉経も遅くなった）ことと関係しているといわれますが、閉経が早くなった方が、つまりある意味でさっさと老化してしまった方ががん化しにくいということでもあります。

かなり進んでしまったがんのような場合でも、うまく体のバランスをとっていくと、がんで苦しい方向に行くより、どんどん老化していくという形に体が変化するんですね。普通より老化のスピードが速いだけです。それでがんが治るということはないにしても、少くとも楽なバランスをとるということができ得るんじゃないかと思います。どうもがんの人をみていると、そういう感じがします。皮膚の感じとかが、老化の方向にがくっと変わっていくんですね。うまくいけばがんが進行しないで、そこらへんで止まっていて、どんどん老化していっても、その方が楽には違いない。

例えば変化という時間軸でみた場合、老化というのは、決して駄目になっていく過程ではなくて、誰でも死ぬわけですから、死ぬまでの間の中で、それをうまく経過するための、一つずつのステップだというふうに考えます。

――老人ほどがんの進行が遅いというのも、そういうことから。

そういうことです。そういう人はすでにうまく老化しているんで、がん化も激しくないんですね。

――そうすると、ちょっと前に戻りますが、四十肩、五十肩なんかは、むしろ手当しない方がいいということになりますか。

特に四十肩・五十肩の場合、肘の内側のところが冷えて、形の上では肘の内側から二の腕の内側のあたりが力が抜けてしまって、うまく力が入らない状態になっているんですね。そこのところに無理がきて、肩にどんどん凝りが出てきてしまうんですけど、それを何とか動くような状態にしようとして、無理をすると、よけいに痛くなったりするときがあるんです。もう一つは、いずれ必ず治るものであるのを、もし無理に治してしまうと胸椎2番が硬くなってしまう、最終的には悪いことになってしまうんですね。僕も前は、とにかく腕が動かないんだから、痛みを止めたり、動くようにしなきゃいけないと思っていたんですけど、結果的には何もしない方がいいんだろうと、最近は思っています。だから最近は、諦めるように、というか、治そうとして痛いようなことはしないようにと、なるべく言っているんです。基本的にはあえて治そうなんて思わないのが、一番いいんだろうということです。

その場合にも、気の流れがよくなるようにすること自体は悪くないんですね。ただ、炎症が起きている状態のときに、無理に動かして体全体とのバランスでいうと、そこの所にだけ気が流れるようにしてしまった場合に、かえって炎症がひどくなるということもあります。そういう場合は、どちらかというと、とくに炎症を起こしている所よりも足の方に、つまり別の方にうまく流れるようにした方がいい。とくに経過の中で始まりの時期、頭の方に流れが強くなって、頭から足へ抜けにくくなり腕の方にいく流れが強くなることによって炎症がひどくなることがあるので、なるべく**足の方に流れるように**、バランスをとってやったほうがいいということはあります。

——自分でそういうふうに気を流せる方法というのはありますか。

例えば、足の方によく流れるようにするには、さっきいったように、呼吸の感覚として**足の方から息を吐く**というようにすると、一般的にいって、常にいいわけです。大局的にいうと、足の方に流れすぎてバランスを崩すということは、まずないんです。たいがい頭の方に流れが行きすぎてバランスを崩すわけですから、足の方にとにかくうまく気が流れるように、呼吸法でいえば、**足から息を吐くような感じで吐いてやっていればいい**ということです（巻末「気の流し方」参照）。

お産

腰痛と肥満

——女の人の場合、老化するずっと以前にお産という大きな関門がありますね。無視できない体の変化があると思うんですが。

今いいお産というので、自然分娩ということにかなり関心が集まっていると思いますけど、産後のことも一つ問題なんです。お産のときに骨盤が全体として、とくに腸骨という所がぐうっと横に広がって、初めて、産道を通りやすい状態になって出産できるんですが、出産後、今の核家族的な状況だとどうしてもすぐに（とくに二人目以降の子供だと）、動かなければいけないために、早く無理をしてしまうので、広がりっぱなしになってしまう人が多いんですね。

腰が慢性的に痛い女の人の中で、かなりの数の人が産後から痛くなっているんですね。産後の腰の状態が、そのまま固定化してしまって、それで痛みがずっと続いている人が、実に多い。脚も疲れやすいし、膝も痛めやすくなる。これがお産の後に無理をしないでゆっくり休める状況であれば、そんなにはならないはずです。骨盤が開きっぱなしになっていると、腰痛だけじゃなくて、とくに腰の周りにたくさん肉がつき、太るということがあります。これをうまく閉じるようにしてやると人によっては、もう、別人みたいに、痩せる人がいます。

出産の力

妊娠の後期、特に臨月になってくると、骨盤がうまく開いてくることが、必要になってくる。もう一つは、腰に力のある状態ですね。腰椎3番の所に力のある状態が必要で、後ろから見た場合に、いかにもお腹に子供がいるという感じじゃなくて、ウエストの所がよく締まって、後ろから見ると妊娠しているように見えないくらいだと、かなり腰に力があるということです。そういう状態になっていると、産むときに無理に力まなくても、自然にお腹にうまく力が入って、自然に出てくる、そういう感じになります。いい状態で自然の力で出産できるほど、あとの経過もいいわけです。

まだ、うまく骨盤が開ききらないところで、例えば陣痛促進剤なんかを使ったり、鉗子分娩《かんしぶんべん》ですか、引っ張り出すようなことになると、お腹にもうまく力が入らないし、そうすると、親だけでなくて、子供もかなり苦しい。例えば、よくお産が遅れるという場合、子供の頭が大きくて、骨盤が、相当開かないと出てこないという場合がありますが、十分に待って、十分に開いたところで出すと、頭が大きい子でも出やすいということがあります。

逆子のなおし方

妊娠後期でいうと、「逆子」になってしまうようなことがありますが、それは、子供が、一番居心地のいい位置にいっているわけで、とくに骨盤が、脚の方が冷えてしまってねじれた状態になっていて、頭の居心地が悪いということになりますと、逆子になりやすい。横に向いたりとか、完全に逆さまになったりとかしやすいわけです。こういう場合に、脚の方の気の流れをよくして、骨盤に弾力が出るようにしてやると、子供が自分で勝手に動いて逆子が元に戻ってくる。無理にその子供を力で回す必要はなくて、自然に頭が下に向くんですね。

産後の骨盤

そうやって産んだ後で、自然に骨盤が元の位置に戻ってくればいいんですが、そうならない場合には、とくに腰椎4番に弾力が出るように気を通してやると、自然に骨盤がぐうっと閉まってくるんです。そういうふうにしてやると、もともと骨盤の状態が硬くて生理痛を起こしやすかったとか、頭痛になりやすかったとかいう人の場合でも、お産を経過することによって、一度完全に体の緊張が緩みきってリセットされていますので、その後、自然にうまく骨盤が元に戻ってくる、弾力のある骨盤に戻ることができるんです。

つまり、普通だと、なかなかいい状態にするのが大変な骨盤の場合でも、お産の前後をいい状態で経過していくと、自然にいいバランスになることができるということです。お産も、ただ産むだけじゃなくて、そのときある意味ではバランスが崩れるんですが、産後の力のない時期を利用して、自然なバランスに立ち直るきっかけになるんですね。

男の場合――新たなバランスへ

女の場合はお産がかなり強力なきっかけになりますが、男の場合でも何かのときにお腹も骨盤も力が抜けてしまう時期があって、その時期にうまく体を休めてやると、その後、体が自然に整ってくる。これは、女性の場合はお産という形ではっきりしたきっかけがありますから、そういうときをいい形で利用することを最初から考えてやることが、後の体のバランスのために非常に大切だということです。

男の場合、成長しきってしまうと、女と比べると、そういうはっきりした変化の機会が少い。女は出産もあるし、閉経もあるし、確かにその前後は悪くなる可能性もある。バランスを崩すこともあるんですけど、よくすることもできる。実際には悪くなっていることの方が、案外多いのですけど、本当はよくするチャンスなんです。男の場合でもそういうときは、必ず誰でもある程度はあるんです。女ほどはっきりしていないけど、どうしてもやる気が起きないとか、何十年かのサイクルの中で、とくにそういう「スランプ」の時期があるはずなんです。

そういうときは、エネルギーがない時期で、そのエネルギーのない時期はどうやって体を休めてやるかで、バランスがとれるか逆に壊すかの分れ目なんです。エネルギーのない時期は、女のお産の後のように体の緊張が緩んでいるわけですが、自分では今までと同じ体だと思っていますから、それまでと同じことができると思うわけです。ところがエネルギーがないから集中力はないし、何をやっても頑張るほどうまくいかない。そのときに諦めて、頑張らないでうまく体をやすめてやると、エネルギーがなくて、緊張力がないですから、今まで硬直していたところが緩んでくるわけですね。

その緩みきった状態から、新しいいいバランスが生れるわけです。

普通の生活状態ではなかなか、うまく気が流れるように緊張を緩めるといっても、そういうエネルギーがなくて緩みきっているときほどには徹底的には緩みにくいですから、そういう本当に自然に緩んでしまったときを利用するのが一番いいんですね。そういう時期を、無理しないという形でうまく利用していくと、逆にエネルギーが出てきたときにいいバランスがとれるようになるんです。そのときに無理してしまうと、逆に壊してしまう。体力がないときというのは、体のバランスを整えるチャンスでもあるし、壊すチャンスでもあるんです。

病み上がり

――例えば病み上がりなんかのときに。

そうです。一般的にいうと、風邪をひいた後とか、そういう緩みきっているときが大事なんですね。普通は、体に波があるという考え方をしていないで、毎日同じことをやるという発想の方が多いですから、どうしても壊してしまう場合の方が多い。お産の場合、とくにその前後はそういうのが典型的に出てくるということですね。昔は、他に体を丈夫にする手段がないから、お産の後は、すごく大事にしてあげたんですね。

それを、逆にいうと他に体を守る手段がないから、そういう形でその時期を集中的に守ったんですね。**今は、病気になったら治せばいいという発想ですから、本当の意味での体を守って育てていくということがいい加減になっているといえるだろうと思います。**

「産後は水を使うな」という昔の知恵

昔だと、産後、水を使っちゃいけないというのがありますね。三週間は水を使わない。水を使うという姿勢は、全部、前屈《まえかが》みの姿勢なんですね。洗いものをするにしても、洗濯をするにしても。**その前屈みの姿勢が、いちばん腰に負担がかかるんですね。**前屈みしてもお腹に全然力がないから、支えることができない。だから、水を使うということに象徴的に出ている姿勢、それがよくないということなんです。**三週間くらい**というのも、三週間目あたりまでは、徐々にしか回復しませんが、それを過ぎるとグッと体に力が出てくるんです。もう少したって、五、六週目あたりになると、逆にちょっと下がってくる時期、力が緩んでくる時期があって、それでまた本格的に盛り上がってくる。詳しくいうと、その**五、六週目あたり**も案外大事なんです、もう一回緩みますから。逆にいうと、もう一回、そのあたりにチャンスがあると考えてもいいですね。骨盤がうまく整っていないのを、バランスよくするチャンスがもう一回あるということです。結構そういう意味では、昔は、やはり経験的に、よく観察していたんでしょうね。

体を休める意味

――お産の場合、ただ体を休めるということだけでなくて、もう少し何か方法がありますか。

休めるという意味では、普通よりも徹底的に休めてしまう。例えばいろんな刺激が入ってこないほどいいんです。光の刺激とか、音の刺激とか、いろんな意味で刺激になるものがなるべくない方がよくて、野口さんなんかも、徹底的に最初は暗くした状態で、だんだん明るくしていくこともやったわけですね。骨盤が揃って縮み始めるまでは全然動かない、トイレにも行かない。

そこまでやるのは実際には難しいと思いますけど、確かにお産の直後に一回立ってしまうと、子宮がもうそれだけ傾いてしまう。「後腹」というのがありますね、子宮が縮んでいくんで、痛いんですけど、子宮が真直ぐで傾いていなければ、痛くないんです。いい位置に子宮があると、いくら収縮しても痛くない。ところが、ずれた位置にあると痛い。早く立ってしまうとそれだけ痛くなりやすくなります。本当は全然立たないで寝ている状態にしておくと、後腹も痛くなくてすむんです。

「後腹」が痛くなってしまったような場合に、子宮と足に気を通すようにしてやると、また真直ぐになりますけど、普通はそんなこと簡単にはできないですから、消極的なようですけど、**休めるというのがじつは一番積極的**なんです。実際には、一人の人間が休むということは、周りの人間がそれだけ何かしなきゃいけないということで、そういう意味で大変です。休むというのは、消極的じゃなくて、積極的にやらないとできません。「産後」以外の場合でも、体力がなくなったら休むというのは、積極的な意志がないとできないですね。休めるということは、難しいですね。そんなことかと思われるけど、案外できないんですね。

体の要求を素直に出せるということ

本当は、動こうと思っても動けないとか、やる気が全く起きないというふうに、素直に体に出てしまえば、一番いいんですね。我がままだとか何だとか思われるかもしれませんけど、そうなれば無理のしようがないですから、それが一番いいと思います。普段も体に気を通りやすくしておくということは、そういうときになるべく体の要求を素直に出せるということが、一番大きいですね。例えばがんなんかの場合に、よく症状が出ないといいますけど、結局早いうちに症状が出ているような人はならないんですね、別な形でバランスをとってしまいますから。

気分よく生きる知恵

——ということは、一緒に生活している人間の間で、理解が必要になってきますね。

必要ですね。みんながそういうふうに考えている状況が、一番いいわけです。どういう意味では、生活スタイルの問題までいってしまうと思うんです。どういう生き方をするか、何が一番大事かということになってくるんですね。普通、働くことが面白いということが一つあるかもしれませんけど、もう一つは面白いということも含めて、最終的には気分のいい状態でいたいということがあると思います。そのためにどうしたらいいかということが、本当は目的ですけども、それが人間の場合は、どうも本能的に生きにくい面があってそこがなかなか面白いんですね。本当だったら、健康法なんてのが成り立つこと自体がおかしいんで、人間の場合はそこらへんがすごく屈折していて、健康法がいくつも成り立ってしまうというところが逆説的におかしなところですね。

おそらく他の動物の場合、もともと二本足で歩かなくていいということは、例えばお産にしても、かなり楽なんですね。人間みたいに立っていると、さっき言ったように、お腹の力が抜けてしまうと、全然バランスがとれなくなってしまう。それが四つ足で歩いていれば、そういう心配があんまりなくて、お腹の周りに力がなくても、歩くぐらいは困らないんですね。人間の場合、そこらへんが、一つは不完全にできているということで、いろいろと、もともと無理がある。逆にいうと、それをうまく利用するのも、知恵の在り方だといえると思います。

5

「病気を経過する」とは

リューマチ

——少し角度を変えて、片山さんが実際にみられた人たちの症例から、具体的に考えてみたいのですが……。

いくつかの例をあげてお話ししましょう。

まず、リューマチについてですが、今までで一番重い人の例でいうと、もともとリューマチの気があったのですが、出産をきっかけにひどくなってしまって、手の指全体に症状が出ているし、右肘が直角くらいに、両膝も同様に曲がって、左足首は全然動かないという人がいました。リューマチの人は、どの人をみてもそうですが、汗をかきにくいんです。その人も汗がかけない人でした。

僕がみて、一番初めの変化としては、最初の夏は汗は出てこなかったのですが、手のひらにすごく湿疹が出て、炎症がひどくなった。炎症が起きると一般的に気の流れはよくなって、発散もよくなるんですね。手の平に炎症を起こしたことによって、手の指の動きは、逆によくなってきました。だんだん汗がかけるようになって、次の夏には、異常に汗をかくようになり、冬でもちょっと動くと汗をかく。そして、関節の周りにとくによくかけている、湿りけがある状態になったら、関節も痛みがなくなってきた。そういうふうに流れのいい状態になると、骨も変形しているのがだんだん戻ってくるんですね。戻るのは大変なことは大変なんですが、骨というのは生きていますから、戻らないわけではありません。歩くのも大変だったんですが、かなり関節が動くようになって、大きな段差があるとちょっと難しいかもしれませんけど、平らな所だったらかなり歩けるようになりました。一時いくらでも出ていた汗は、その頃にはもう、以前ほど出る必要がなくなっている感じになりました。リューマチは更年期に出てくる人もいます。汗がかけない人たちでも、普通更年期になるとかけるようになるんですが、かきそこなった人がリューマチになる場合があるわけです。

しかし、どの人も汗が出てくると、だいたい炎症が収まって関節が動くようになる。あと変形が激しい場合は、変形が元に戻るまで少し時間がかかりますけど、一応皮膚がべとっとしてきて汗がよくかけるようになると、よくなってしまいます。基本的にやることは、関節の部分の気の通りがよくなるようにすることです。ある程度以上重いリューマチの場合、気を通すと関節の所でぐっと詰まって重く感じるという人が結構います。重くなるということは、関節の所で流れが詰まるからですが、それが気を通し続けていると、逆に軽くなってくる。その軽い感じというのが、よく気が流れている状態なんです。そういうふうになるには、だいたいそうっと触って気を通すだけなんですが、リューマチの人は、普通の人より反応の仕方はいいと言っていいですね。

発汗・免疫反応

――それは、どれくらいの間やるんですか。

人によってだいぶ違います。症状の重さによっても違いますが、慢性的にずっと悪いんじゃなくて、時々なるという人の場合は、一回か二回の感じでぱっとよくなってしまいます。

リューマチは一種の自己免疫疾患といわれていますから、免疫反応がある程度過敏な人だといえます。その過敏な反応が関節の炎症という形で出てしまうということです。さっきいった発汗と免疫反応が、どちらも胸椎5番という所と関係があって、胸椎5番に弾力が出てくると、汗もかけるようになるし、免疫の反応もいい仕方になっていくんですね。そういうことだと思います。

円形脱毛

円形脱毛も、最近わりに多いといわれていて、頭の一部だけ脱毛するのがよくあります。一般的にはストレスで緊張が高まると、一部、とくに頭の中でも緊張の強い部分、硬くなっている部分の血行が悪くなるからだと考えてもいいと思いますが、そこの部分の毛が抜けてしまう。一種の自己免疫疾患だともいわれています。例えば、小学三年生くらいの女の子が、ほぼ頭全体が抜けてしまっているという感じでした。体をみると、頭蓋骨はもちろん緊張して硬くなってしまっているんですが、頭蓋骨だけでなくて、体全体の筋肉が硬くなっている。かなり敏感な体質の子なんですね。僕はよく張り切りすぎといっているんですが、何でも頑張りすぎてしまう。周りの、例えば学校の環境に、普通は自然に合せられるのが、相当必死になって合せないと、ついていけないというところがあって、張り切りすぎてしまうんですね。先生からみると、何でも活発にやる子供という感じなのですが、本人は頑張りすぎて、限界以上にいってしまっているわけです。こういう場合は体全体の緊張が緩んでしまえばいいんです。その子の場合は手を触れないで体にちょっと近づけると、筋肉があっちこっち痙攣《けいれん》し始めるんです。痙攣し始めるということは緊張が緩もうとしていることなんですが、全体に筋肉の緊張が緩み始めて、二回目にみたときはかなり生え始めているというか、毛が太くなってきていました。それから全体にちゃんと生えてくるようになったんですね。

頭の中でも、全体が緊張していれば全体が抜けてしまいますけど、一部がとくに硬くなってしまう場合があって、その場合はそこの所だけ抜けます。ですから、そこの所だけの緊張が緩んでもいいんですが、基本的にはやはり体全体の過剰な緊張が緩んで、弾力がある状態になれば、抜けないですむということです。

——それは体のどこと関係しているんでしょうか。

過敏なタイプの人が頑張りすぎると、ものすごい緊張を起こしますから、そういう意味ではさっきいったような胸椎5番とも関係がありますが、それだけとはいえないですね。この場合はその人その人で、緊張の焦点に個性があります。ただ、毛の抜けてしまいやすい場所が、緊張しているのは確かです。硬く、冷たくなっているということはいえます。

慢性腎炎

脱毛ということでは、円形脱毛じゃなくて、かなり禿げていたのが生えてきたという例が、一人だけありましたね。この人は慢性腎炎で人工透析をしている人で、最初体力がなくて全体的にも、足なんかもかなり筋肉が落ちて細くなってしまっていて、体全体がむくみ気味だったんです。その人がだんだん気の通りがよくなってきた。だいたい腎臓に力がないと、足の腿《もも》の後ろ側の筋肉が落ちてしまうんですけど、そこの所の筋肉がだんだん盛り上がってきて、汗も全体として少しずつかけるようになったのです。汗をかくとかなり腎臓の働きを助けるので、汗をかくこと自体が一種の透析に近いと考えていいと思いますが、汗をかけるようになって、むくみが少くなってきた。気の流れということでいえば、汗が出ないとかおしっこが出ないとかいうだけじゃなくて、発散がうまくできなかったのですね。気の流れが出ていくことがうまくできなかったので、出ていくことができなければ、当然体の中を流れるということも難しいわけです。それがだんだんできるようになってきた。

最初はちょっと触るだけで、本人はものすごく暑がるんですね、発散できないですから。発散すると皮膚の表面が涼しくなるんですが、それがだんだんできてきて、足の方も流れがかなり出てきた。そうすると、透析はしているが、かなり動けるようになり、そうしたら、禿げていた髪の毛がだんだん濃くなったんですね。

おそらく腎臓は、ただおしっこを出しているだけじゃなくて、他の、例えば発毛ともどこか関係があるのかもしれません。その人はおしっこがまるっきり出ない人で、それが出るようになったわけではないのですが、少くともそこまでくると、元通りの体力はないけれども結構元気に働けるという状況なんですね。一つは精神的には、透析に頼らなければ生きていけない、それでほとんど自分の体はコントロールされているということで、かなり自信を失っている面があったかもしれない。それが呼吸法とか、気の流れをコントロールするとか、自分の側からできることがあるんだとだんだん分ってくると、つまり、**生理的にある所が駄目だとしても、全体的に別のシステムでバランスがとれる面があるんだということが、だんだん自覚ができてくると、主体的に生きられる、**そういう面もあるんじゃないでしょうか。別の自信というか、そういうものが出てきて、力になっているんじゃないかと思います。

気のバランスの独自性

——その場合、腎臓の機能回復ということは難しいんですか。

そうですね、なかなか難しいでしょうね。その人は、経過としては、蛋白がひどく出ていてすごく疲れやすい状況なのに、なおかつ無理しちゃったんですね。そのときに無理さえしなければ、そこまでいかなかったと思うんですけど、無理をしてしまって倒れてしまった。その時点でもう腎臓の機能だけでなく組織そのものが回復不能なダメージを受けてしまったということでしょう。

——そこまでいったら、機能の回復はもう難しいということですね。

もちろん組織や器官が物理的に壊れてしまって、駄目になってしまえば、気のバランスもとれ難くなってしまいますし、生理的な機能が確かに気のバランスにも影響を与えますけど、一方で、気のバランスは独自にとることができるということです。気のバランスがうまくとれていると、生理的な状況がある程度駄目な状態でも、それなりに元気になれるということはある。これはがんなんかの場合でもそうですけど、生理的にはだんだん体が駄目になっていってしまうんですが、気のレベルでのバランスというのは、とりようがあるんですね。すると、少くとも苦しくない。そういうことはあると思います。

腎臓と卵巣の関係

例えば腎臓と関連していうと、こういう人がいました。出産してから生理がなかった人で、大変疲れやすいというのが主な問題でした。整体し始めてからしばらくの間腎盂炎《じんうえん》を繰り返したのですが、腎盂炎を起こすたびに元気になってくる。三回か四回起こしましたか、そのたびに、後がいいんです。そういう意味でいえば、腎盂炎を起こすから悪いんじゃなくて、炎症を起こすという反応によって、逆に体のバランスをとることができるんだと思います、腎臓はかなり卵巣と関係がありますから。さっきの慢性腎炎の人でも、腎臓に元気がないときには、女性をみても何とも感じなくて全然勃起しなくなってしまったのが、元気になってきたといっていましたね。そういう意味では、精巣や卵巣のホルモンと腎臓の関係はかなりあるようで、単におしっこを製造しているだけではないと思います。腎盂炎を起こしていた人も、そのたびにバランスがよくなってきて、体にシンが出てくるという感じでしょうか、生理も安定してくるようになりました。

慢性腎炎になってしまった人も、その前に急性腎炎を起こしてバランスをとっていれば、慢性にならないですんだかもしれない。むしろ、知らないうちに慢性腎炎になってしまうことの方が怖いのです。急性腎炎を起こせば、熱がでますし、動けませんし、誰だってなんとかしますから、そういう意味では腎炎を起こしたり、膀胱炎を起こしたりすることは、悪いことばかりではないんです。膀胱炎もよく女の人でいるんですけど、冷えているわけです。骨盤の中がとくに冷えてつめたくなっているのですが、炎症を起こすと気の流れがよくなるんですね。膀胱炎なんか起こすと、それだけ流れがよくなって、それでバランスがとれてくるのです。必ずしも、なんとか炎というのが悪いということではないんです。

炎症でバランスをとる

──女性の場合は旅行なんかのときに膀胱炎を起こすことが多いようですね。あれは疲労のせいかとも思うんですけど。

疲れはありますね。それと、旅行している状態は普通の状態じゃないですから、興奮状態にわりになりやすい。それに対して炎症を起こしてバランスをとろうということなんですね。体の主体的な働きからみると、菌が侵入したというのは、外からの考え方で、主体的な考え方からすると、そういうことによって炎症を早く起こすことによって、バランスをとってしまう。菌が入ったから、必ず炎症を起こすとは限りませんからね。例えば、肺の場合でも、菌がろくにないのに炎症を起こして、肺炎になってしまうということがあります。この間も、肺炎を起こしたんだけど、そんなに菌に冒されているわけではないのに、炎症が激しいという人がいました。ところがそれをきっかけにその人は、神経症的症状が一気になくなって元気になってしまった。そういうこともよくあります。

逆に、年をとって体力がなくなったりすると、炎症が起きないのに菌がどんどん肺の中に広がってしまって、熱も出ないで亡くなってしまうということがあります。昔、副腎皮質ホルモンを使うと炎症がきれいに収まってしまうので、肺炎なんかにもばんばん使った時期があるらしいですけど、炎症は収まるんだけど死んでしまうということがあったようです。炎症というのは、炎症そのものがあまりにもひどくて命が危ないという場合もありますけど、普通の場合は、免疫反応が起きるから炎症を起こすんで、生きるということ全体の流れからすると、そういう力があるから生きていられる。それを起こすことによって、体全体のバランスをとろうとしているのだといえると思います。

アレルギー・アトピー・喘息《ぜんそく》

炎症ということが出ましたので、アトピーと喘息についてお話しします。アトピー性の湿疹というのは、かなりアレルギーとして増えているのですが、無理にアトピーを抑えこんでしまうと、喘息になるという例がかなりあるので、最近は皮膚科でも無理やり抑えないようにする考え方も出てきたようですね。結局皮膚で体のバランスをとるという場合に、さっきの汗もそうですが、皮膚に湿疹ができると、これも気の流れがよくなって発散がよくなる。そういう必要があって出てきているということがいえると思います。

アレルギーという考え方からすると、何らかのアレルゲンがあって、アレルゲンがあるから反応するんだということになって、確かにアレルゲンとセットになっているという考え方もできますが、それは外因としての発想で、内因ということからいうと、やはり体のバランス上、そういうものに対して反応することによって、体のバランスをとりたい要求があるんだろうと思います。例えば喘息になるよりは、アトピーの方が、皮膚の表面でバランスをとってくれていいというようにです。こういう人がいました。アレルギーで呼吸困難になって、つまりそれは気管支が炎症を起こしてしまったんだと思うのですが、それが皮膚に湿疹が出てきたら楽になってきてよくなった。この場合は皮膚と気管支の、互いにどちらかで体のバランスをとっていると考えていいと思うんです。そして当然皮膚でバランスをとってくれる方が安全というわけです。

目に見える所にばかり出るアトピーの例

アトピーでも、アレルゲンを遠ざけるということで、徹底的にアレルゲンをカットしていくやり方をする場合があるのですが、逆にあんまり神経質にあれも駄目、これも駄目となっていくと、本人が元気がなくなっちゃうんですね。かえって気にしてしまって、それ以外のバランスのとり方ができなくなってしまう。子供の頃だけでなくて、思春期以降もアトピーが出ている人の場合で、普通は見えない所に出る場合が多いんですけど、見える所ばかりに出てしまうという例があります。それは、明らかに意識がそこに集まりすぎているんですね。自然にだったら、見える所にばかり出なくてもいいのですが、意識がそこに集まりすぎてしまうと、顔とか手とかに余計に出てしまうということがあると思います。そういう場合でも、別のバランスのとり方として、気の流れが皮膚から発散してくれればいいんです。出ていってくれれば、湿疹を起こさないで、流れのいい状態になって、バランスがとれるわけです。ですから、例えば肩の周りとか、足から息を吐くような感じで、呼吸法（二六七頁参照）を使って発散させてやっておくと、だんだん自然に発散できるようになって、気の詰まりがなくなってくると、アトピーも出る必要がなくなってくるということです。

喘息も肩周りの緊張を緩める

喘息の場合でも、全体の気のバランスからいうと、特に頭の方にエネルギーが集まってしまうのですね。頭の方に集まって、足の方に流れていかない。体の緊張ということからみると、肩の周りとか首の周りが、とくに発作を起こしているときはすごく緊張してしまって、肩胛骨が上の方に引っ張り上げられるような状態になってしまいます。背骨でいうと、背骨（正確に言うと脊椎の棘突起《きよくとつき》）が上の方に持ち上げられるような、引っ張り上げられるような格好で、背骨と背骨の間がかなり開いてしまう（二六三頁の図6参照）、そういう感じになっています。

だから、発作を起こしているときでも、肩の周りの緊張をそうっと触って緩めてやるだけでも、かなり呼吸が楽になる。全体的なバランスとしては、やはり頭の方にエネルギーが集まらないように、足の方に流れるようにしてやると、とくに赤ちゃんの喘息のときにいいですね。発作を起こしているときに赤ちゃんだと、触ることもできないんです。そういう場合に、触らなくても足の方に流れを集めるようにしておくと、だんだん呼吸が楽になってくる。小さい子だと、ものすごく機嫌が悪くて、お母さんにしがみついている苦しそうな状態が、自然に足の方の流れがよくなると、いつの間にか遊び始めます。

アトピーも、体全体のバランスとしてはやはり頭の方に気が集まりすぎるので、基本的には、足の方にうまく流れが出てくると、よくなります。子供の喘息の場合、武道をやったり水泳をやったりしているうちによくなったというのが、わりにあるんですが、結局、体を動かすことによって体全体からエネルギーが発散されて、頭の方に集まるのが少なくなるということがあると思います。それと、運動というのはやはり丹田、お腹《なか》の中心にエネルギーの中心がきていないと、うまく体が動きませんので、自然にそういう所に集まるようになって、そういう方向でバランスがとれるということも、ありえます。

足から息を吐く

――足の方にエネルギーを集めるというんですが、それはどういう方法で……。

自分でやる場合なんですが、足の裏に**「湧泉《ゆうせん》」**(二六六頁図2)というツボがあります。そこが足のエネルギーの発散の中心になっている所で、触っているとじーんと細かい振動がしてきます。そこが振動してくると、今度は発散できるようになるんですね。その所から**息を吐くつもりで吐けばいい**んで、うまく吐けるようになると、どんどん足の方に流れがいくわけです。足の方に気の流れがいくと、同時に頭の方でもうまく発散されるのです。自分で頭の方から発散させようとするのは、なかなかうまくいきませんから、足の方から基本的にはやっていく。あと、**肩の周りから吐くつもりで息を吐く**というのもいいですね。肩の周りに集まっているのが発散してくれば、涼しくなってきます。やはり皮膚の表面がじーんとバイブレーションを起こすんですね。その両方とも、自分でやればいいのです。

人に対してやる場合は、どの場合でもまずは波長を合せるという感じです。気を通すときは全部同じことですから。足の方に流れる必要があるときには自然に流れてきてバランスがとれるのです。実際にはとくに相手の足の方に自分の意識を合せるだけでもいいし、足首を触りながら気を通すという形でやってもいいわけです。

ついでに言いますと、例えば、お灸も炎症を起こさせるわけですから、それによってその部分の流れをよくするということですね。湿疹じゃなくても、何か吹き出物みたいなやつが体の決まった部分に、ある季節になると必ずできることがありますね。それは、そこにお灸をしているようなものですね。それによってバランスをとっていると考えていいです。アトピーの場合も、足腰のバランスで、どうしてもお腹に力が入りにくくて、背中に緊張が集まりやすい体になっていて、頭にエネルギーが集まりやすいものですから、うまく足の方に流れなくてバランスがとれないので、どこかに炎症を起こしてバランスをとろうとしているという考え方もできます。もっと大きな視野で見れば、昔と比べると細菌性の疾患は減っています。代って、アレルギーや自己免疫疾患が増えているわけですけど、細菌との間で免疫反応を起こしながら常に体のバランスをとってきたのに、相手が急にいなくなってバランスをとる相手を無理にでも探しているとも考えられます。

精神不安

そういうことが、もっといえば精神的なところにも影響を与えていて、行動様式にもかなり影響がいっているといえるようです。いずれにしろ、免疫反応というのは――アレルギーも免疫反応なんですが――さっきの胸椎5番にやはり関係があります。風邪をひいたときも、すぐに5番というのはねじれる所ですから。それが精神的にも影響を与えて、例えば胸椎5番がねじれて硬くなると、体を動かす気がしなくなるんですね。朝起きて目は開くんだけど、体が起き上がらないとか、そういう状態になる。ねじれないで、胸椎5番が上の方に持ち上がって硬くなった場合は、独特の不安な感じになるんですね、じっとしていると不安だというか、そこにじっといること自体が不安だという状態になります。そういう精神状態の場合、逆にいうとアトピーなどの形でバランスをとる。喘息もそういうことだろうと思います。

神経症・動悸と胸椎5番

そういう意味で胸椎5番というのは、非常に興味のある場所です。ストレスでそこにくる人もよくいます。胸椎5番がねじれて背中が痛い、肩胛骨の側の背中が痛いという人もいるし、胸椎5番につながる肋骨の五番目のどこかが痛い、あるいはただ胸の前側が痛いという人もいます。胸の前側の方も同時に反応していて、胸の真中へん、ツボでいうと膻中《だんちゅう》のあたりを中心にした所、そこが硬くなってしまって、例えば何かやらなければいけないと思うと急にすごく動悸がしてしまう場合もあるし、全然何も関係ないのにいきなり動悸がしてくる場合もあります。胸椎5番というのはそういう**神経症**の症状につながって、神経症全体に関係があるということです。

神経症にはいろんな、例えば心臓神経症といわれるのもあるし、不安神経症なんていわれるのもありますね。あと広場恐怖症や閉所恐怖症といわれるのもあって、例えば、怖くて電車やエレベーターに乗れないとか言います。それも結局今の胸椎5番が緊張している人がなりやすいです。

過換気症

これは、息を吸い過ぎて苦しくなるという過換気症という形に出る場合もあるのですが、そこの部分の緊張、胸の緊張がだんだんとれてくると大丈夫なんです。過換気症も軽い状態だとただ息苦しくなるくらいですが、ひどくなると、どんどん苦しくなって、息が吸えない感じになるんです。本当はうまく吐けないので苦しいんです。横隔膜が吐く方向にうまく動いてくれない。なのに、緊張しきっていますから、吸おう吸おうと、どんどん吸ってしまうのですね。吸いすぎて手足がしびれて倒れたりします。そういう感じで、別に体がおかしくなるわけじゃないんですが、本人はすごく苦しい。同時に、さっきいった不安な感じがものすごく強くなるのです。ただ息苦しいだけじゃなくて、不安な感じと同時にくるもので、ものすごいパニックになってしまうんです。その緊張がとれて弾力が出てくると大丈夫になって、落着いていられる感じになってきます。

緊張が緩んでだんだんひどい状態から解放されてくると、今度は自分は何かをやらなきゃいけないんじゃないか、ぼうっとしていちゃいけないんじゃないかと、焦る時期があります。焦って何かやると、また具合が悪くなってしまうのですね。自分の好きなことで気分のいい状態になるような何かをやるんならいいのですが、仕事をやらなきゃいけないとか、何か価値のあることをやらなきゃいけないとか、それで無理すると、また緊張感が強くなってしまいます。そういう人に限って、また何かを頼まれると断われないとか、体質的にそういう人なんですね。断われないし、いわれると絶対やらなきゃいけないと思って、頑張ってやってしまうと、またおかしくなってしまうのです。そういうふうに頑張らなくてもいいんだと分ってくると、体の方も、逆に緊張が緩んでくるという面があります。

めまいと生活パターンが関係した例

あるパン屋さんの例ですが、朝早くから狭い所でパンを焼いているんですね。その人は一日中、焼いているか、お店にいるかという生活なんです。それをまた、一日中完璧にそういうふうにやっていなきゃいけないと思いこんでいるんですね。その人が、めまいと頭痛がひどくて、足が雲の上に乗っているようにふらふらしてしまうという感じになった。それで、一日三十分くらいでも外に出て散歩するようにしてもらったら、だんだん軽くなってきて、あまりめまいも起こさないようになったし、頭も痛くならなくなってきました。狭い所にいること自体が、その人にとっては体にすごく緊張感を与えたんですね。とくに肩の先の部分が緊張しやすい体質の人は、狭い所にいるとどんどんどんどん緊張感が高まってしまうのです。それで、めまいとの関連では、頸椎3番と4番の間が硬くなり、もう一つ頭蓋骨と首の間がねじれていると、そういう感じになるんです。

やはり、同じような人の例ですが、外に出るとめまいを起こすことから、だんだん外に出られなくなって、家の中に閉じこもるわけですね。家の中にいるほど、実は具合が悪くなるんですけど、外に出るとめまいを起こすものですから、余計に出られなくなってきて、何か用があると、出かけようとするのですけど、今度は家の中のことがものすごく気になって、掃除をしなきゃいけないと急に思うんです。それで、家中の掃除をして、異常にきれいに隅から隅まで磨いて、何となく落着くんですね。落着くんだけど、そうやっている間に時間が過ぎてしまうから、外に出られないんです。その人が首の緊張がちょっととれて、表に少しずつ出られるようになってきた。そうすると、逆に外に出ている方が具合がいいということがだんだん分ってきて、それでほとんど家にいなくなりました。体の緊張の一部がふっととれて、動けるようになってくると、逆に今度はどんどんよくなっていくという感じになるわけです。

体質によって生活パターンを変える

そういう意味では、体と生活パターン、行動パターンがうまく合っていれば、バランスがとれるんですね。じっとしていたりとか、狭い所にいると具合が悪くなる人が、そういう生活パターンをやっていれば、当然具合は悪くなります。そういう人は、体質的に運動なんかをしてもいいし、広い所に出てもいいんです。例えば家ですが、今は外を見ても、すぐ隣の家が見えてしまうという場合が多いわけですね。例えば、見晴らしがいい所に住んでいるときは調子よかったのに、次に引っ越した所が低い所で、目の前がまたマンションで、外が全然見えないような所に引っ越したら具合が悪くなった人もいます。その人に合っている生活環境に工夫できるかどうかということで、だいぶ違ってきてしまうのですね。

――その人に合っているかどうかということは、なかなか自分では分りにくいところですね。

自然にうまくできている人はいいんですが、一度そういう悪循環にはまってしまうと、なかなか抜けられなくなってしまいます。それが自分で分るようにするということが、大事なことですね。どういう状況だと調子がいいか、その人の生き方にはどういうパターンが合っているかということだと思いますが、これは若いほど掴みにくいですね。経験もないということもあるし、エネルギーも余っていて、若いときほど、自分の欠点を埋めようと、自分ができないことをやろうとする傾向がありますね。自分がそのままでいれば楽な状態なのに、その状態でエネルギーがなおかつ余っていると、何か自分ができないことを無理してやろうとする。その結果具合が悪くなる例が案外あるんです。

頸肩腕《けいけんわん》症候群

例えば、「頸肩腕症候群」というのがあります。腰痛も同時に持っている人が多いんですけど、頸肩腕症候群は、腕や肩の周りがひどく張ったり、さらにひどくなると腕を持ち上げていられなくなるとか、電車の吊り皮に摑まっていられないとか、受話器を持っていられないとかいう感じになるんですけど、こういう人のパターンをみていると、例えば看護師さんとか保育士さんとか、確かに体力的にも大変なのですが、それ以上に体質的に向いていないという人がいる。体質的にはあまり人の面倒をみたりとかするのは、本当は合わないのに、具体的に何か人の役に立たなければいけないというふうに、逆に思いこむんですね。本来はそういう仕事をしなければいいのに、かえってやらなければいけないと思いこんでしまって、一生懸命やってしまう。そうすると、やればやるほど具合が悪いわけです。

例えば、子供の面倒をみるのに、子供とただ遊んでいるだけなら、まだいいんですが、大人ですから、子供の面倒をみなければいけないとか、大人として接しなければいけないとか思って、あれもこれも頑張ってやってしまうと、これは喘息やアトピーとも近いのですが、どんどん気の流れが肩の周りとか首の周りに集まってしまうので、疲れてしまうんですね。そうするとお腹の力の方は抜けていってしまうんです。

丹田の力が抜ける

お腹の側でいうと、鳩尾《みぞおち》（上腹部）の方に力が集まってしまって、丹田（下腹部）の方は力が抜けてしまうという状況になって、どんどん体の上の方に緊張が集まってしまうんです。そうすると、足腰の方は力がないし、腕や肩の方に気の流れが詰まってしまい、思うように動かなくなる、そういう構造になっていきます。本当は、そういう無理をしさえしなければいいんですけれど、お腹の力が抜けてしまうと、それをやめるということもできなくなってしまう。やめるという判断がつかないんですね。なんとか仕事がちゃんとできるようにならなくてはいけないというふうに、焦ってしまい、気持としては余計に頑張ってしまうという、悪循環になってしまうんです。それが、さっきの喘息とも共通しますけど、だんだんお腹の方とか、足の方にうまく流れができてきて力がついてくると、そんなに頑張らなくてもいいんだということが、逆に分ってくる。それで、自分のパターンで行動ができるようになる。そうすると、腕の方も思うように動くようになってくる。

こういう人は、同時にさっきの過換気症とか、動悸とか起こしやすいタイプということもいえるんです。ただ現れる症状が違うだけですね。こういう人は、気の流れからいうと、本質的には悪くなくて、むしろ敏感な場合が多い。だから、僕の立場からいうと、やりやすい。しかし肩が張るからといって、無理にそこだけを治そうとしても駄目です。やればやるほど、逆にそこの所に意識が集まってしまい、かえって具合が悪くなってしまうのです。

生き方との関係

——そういう人はどうしたらいいのでしょうね。

結局、どういう生き方をすればいいのかということですね。本人は何かをやらなければ人間には価値がないんだというような考え方に偏っていますけど、そうじゃなくて、その人がそこにいるだけで人の緊張を緩めたり、周りの人にいい影響がいくんだということですね。人の面倒を見るような仕事が合わない人（過敏タイプの人）は一方でそういう力を持っているんです。また逆に何かを頑張ってやったりするタイプの人が精神的に自立しているかというと、そうもいえないんですね。何かを頑張ってやるということは、人に評価されたいというためかもしれないわけです。それは、決して自立しているわけではなくて、そういう意味では精神的に人に頼っているわけですね。その反対に、何かを頑張ってやるという欲が体質的にはあんまりない人は、別に何にもやらなくても、その場にいるだけで、もともと周囲とのバランスのとれる人ですね。そういう意味ではかえって精神的な自立ができているんだと考えてもいいわけです。そういうふうに納得ができれば、自然にバランスがとれてしまう。余裕ができれば自分の思う通りに動けるようになるんです。

緊張タイプの神経症

逆に、同じ神経症でも緊張するタイプの神経症の人がいますが、それはエネルギーが余っているのです。人によっては、エネルギーが使える方向が大変偏っている場合がある。例えば、女の人でいうと、家の中で子供の面倒をみたりすることはできないけど、外に行けばものすごいパワーがある人だっていますね。そういう人は、それをやらないでいれば、当然エネルギーが抑えられてしまいますから、どんどん体の中に蓄積していって、ものすごい緊張を起こす。それが、自分の思い通りの方向に結びつけば、行動面でエネルギーが発散されるので、バランスがとれる。それが違う方向に無理やりやらなければいけないということになると、発散がうまくできなくて、だんだん身動きがとれなくなってしまいますね。

そういう人が激しい頭痛を起こしたり、それから鬱状態になったり、そういうことを繰り返し起こしていることがよくあります。肩がものすごく張るとか、目がものすごく疲れるとか、何にもやってなくても疲れるという人もいます。そういう人の場合は、何にもやってないから疲れるんですね。そういう人はうまく回転していくと、どんどんエネルギーの流れがうまくいって、バランスがとれるんですね。逆にいえば、回転し続けないと、うまくバランスがとれないわけです。それがどこかでストップしてしまうと、おかしくなる。自分のエネルギーで、自分を痛めつけてしまうんですね。本当に、例えば手足が金属バットじゃないかというくらい緊張している人がいます。手足に限らず、背中でもなんでも叩いたらコキンと鳴るくらいの人もいますからね。

筋肉からいえば、そういう緊張をある程度緩めることによって発散していくし、気の流れがついてくると、緊張が緩みやすくなります。余分な緊張が抜けてくると、丹田に力が入りやすくなって、その状態は、自分がやりたいことが見えやすい状態なんですね。そういうふうに変わってくればもう大丈夫です。そういう人がまた、やることをみつけるとものすごい。とても同じ人とは思えないように顔つきが変わってくるし、女の人だときれいになりますね。

ある学生の例

例えば、こういう人もありました。脈拍が異常に多くなってしまって、一二〇くらいの脈拍がずっと続いて、多くなるだけならいいんですけど、あまり普通には動けない。医学部の学生でしたが、人を相手にする仕事は苦手で、医師だったらとくにお世辞をいったり、頭を下げたりとかしなくてもできるんじゃないかと思って医学部に入ったのだそうです。優秀な学生なのですが、五年生くらいになると、仕事がどういうものか、だんだん実際のことが分ってくる。そうすると、思っていたのとはえらく違っていて、結局は人が相手ですから、大変なことがやっぱりいっぱいあるわけですね。そういうことで精神的にすごく具合が悪くなってしまった。頭の中ではいいお医者さんになりたいとすごく思っているんですね。こういうふうにできれば理想的だとか、今のやり方ではなく、こういうふうにやりたいとか思っているんですけど、実際にやるのはそれとはやはり違っていて、もっと面倒なことがいっぱいあって、それで具合が悪くなってやってきたのです。

最初みたときには、安定剤と睡眠薬で、かなりふらふらな感じで、僕の所までの途中の道なんかよく覚えていないんですね。途中二回しか曲がる所はないんですが、何回も人に聞かなきゃ分らない。二度目に来たときも全然覚えていなくて、おそらく薬の作用でほとんどぼうっとしていて、喋り方も、ろれつが回らないという感じだったのです。

交感神経が興奮しっぱなしの状況と考えられます。緊張して鳩尾《みぞおち》の周りの所が盛り上がったようにふくれていました。それをだんだん緊張を緩めていって、脈拍も減って、落着いてきて、結局一年留年して学校に戻ったんですけど、臨床医にならないで基礎研究で大学に残るということに決めました。それは、そういうふうに最初から考えていれば、具合悪くならなかっただろうと思います。ところが、いきがかり上、周りの人にはいえなかったし、自分でも本来はそういうふうにしたいんだということが、分らなかったんですね。

打撲

次に外科的な症状、例えば打撲についてですが、一般的には交通事故でどこか打ったり、子供が遊んでいて頭をぶつけるということがありますね。打った直後は、すごく興奮しています。そのときは痛く感じないという場合もわりあいあって、後で体全体の緊張がだんだん緩んでくると、痛い所があっちこっちに出てくるということがあります。基本的には、硬直しきっている所を緩めていくと、一番強く打った中心の所がだんだんはっきりしてきます。ひどい打撲の場合は、冷たくなって硬くなっているところがあるのです。

頭を打った場合、最初は、触らないで手をちょっと離した状態で気を通すと、普通は手に繊細でここちよいじーんとする反応が感じられますが、興奮しているときはバイブレーションがすごく荒い状態でびりびりくるような反応があります。その興奮が早く収まってくれるほどいいんです。**頭を打った後**にはお風呂に入らない方がいいとよくいわれますけど、それは興奮が収まりにくくなってしまうからで、基本的には、その日を含めて**四日間はお風呂に入らない方がいい**んです。

滑り台の上からまっさかさまにおっこってしまったという子がいました。てっぺんより左に寄っていましたけど、頭をぶっつけてしまい、脳内出血を起こして病院に入院していたんですが、一応出血の方は吸収して、医学的にいえばとりあえず問題がないという状態でした。頭を触ってみると、打った部分を中心にして、ものすごく硬くなってしまっているんですね。弾力を失ってしまっているという状態です。そこをちょっと触っていると、大変な汗をかいてきて、と同時に眠ってしまって一時間以上起きなかったと思いますけど、その後、何回かみて、たくさん汗をかく状態を繰り返しているうちに、だんだん緊張がとれてきて、そのうちに触っても異常に汗をかくということがなくなり、普通に弾力が出てきました。

ショックが残る場合

気をつけなければいけないのは、そういう打ったショックというのは、残ってしまう場合があるということですね。だれかのバットが当たってそのあとがものすごく硬くなってしまって、それで精神的にも不安定になって、そのあとさらに眼にきて緑内障になってしまったという子がいました。表面だけで済んでいればいいんですけど、ショックが深い部分にいってしまうと、それがあとでとんでもない時期に違う形で出てくることがあり得るわけで、いずれにしろ、打って硬くなってしまった所の弾力を早くとり戻すことが必要です。頭の場合なんかは大変に大きな影響を与えますので、そういうふうにしてバランスをとってやらなければいけない。頭だけじゃなくて、他の場所を打った場合でも、基本的には同じですね。

骨折

骨折ということでいうと、これはうちの子供のことなんですが、二歳のときに、ちょうど転んで倒れたところに、車が走ってきて足首をひかれてしまいました。見た瞬間に足首が骨折しているのが分って、交通事故だったのですぐ病院に連れて行きました。そこで大腿骨《だいたいこつ》も折れているのが分ったのですが、それも激しくねじれていまして、同時に筋肉もねじれているんですね。それを病院としては牽引をしてなるべくまっすぐな状態にしておいて、つながるまで待つわけです。骨折の所に自然に、新しい軟らかい糊みたいな骨の組織ができてきて、くっつくわけなんですけど、それが一週間くらいして、ものすごく痛くなってきた。骨折した所は、最初は興奮している状態ですが、つながろうとする体の働きがだんだんに出てきて、ある時期になると痛くなるのです。そしてそれまでもそうだったんですけど、触っていると、一種の活元運動と考えていいと思うんですけど、ときどき筋肉が痙攣するのです。筋肉が自分で勝手に痙攣して、動いて、それを繰り返すことによって、だんだんねじれがとれてきて、それでうまくつながってくるような反応を起こすんですね。

もちろん骨折したので、牽引している間は仮のギプスみたいなものをやっているんですが、特に夜眠っている間ものすごく痛がるのでギプスを外してやって、そこを手で支えてずっと押さえてやると痛がらない。ほっとくと痛がるんです。その二晩の間泊りこんで、ずっと支えていてやりました。そういうことでどうにか骨はつながって、きたのですが、折れただけじゃなくて、股関節も激しくねじれたので骨盤もずれてしまって、硬くなってしまったんですね。それが何をやってもどうしても元に戻らないんです。

体の変化の時期を待つ

以上は三歳になるちょっと前のことですが、六歳になる寸前に風邪で高熱を出しまして、四十度くらいの熱が三日間くらい続いて、その後平熱以下に体温が下がる時期がありました（六歳前後は成長の一つのステップで、体のバランスが大きく変わる時期に当たる。その時期に発熱等起こしやすい）。その体温が下がってきた時期に表面から骨盤をちょっと触ってやったんです。これはその時期がくるのを待っていたのですけど、ものの五分くらいなんですが、ちょっと触ったらいきなり、骨盤がふっと動いて戻ったんですね。今までずれていたのが、揃ったのです。それでまだ体温が低い間はおとなしくさせておこうと、保育園も休ませました。その後、急に元気になりまして、それまでもまるで元気がなかったわけじゃないですけど、お尻の筋肉が急についてきましたね。お尻の筋肉が急に盛り上がってきて、足もがっちりしてきて、体全体の元気度というんでしょうか、今度は、生意気になって困るようになりました。急に、今までと全然違って元気になった。

骨折が治ったといっても、そういう激しくねじれてしまったのが、後に残る場合もあるんですね。それが治りやすい時期というのが、またあって、普段無理に治そうとしても、なかなか簡単に治るものじゃない。それが体の変わり目みたいなときをとらえると、ちょっと触っただけで変わってしまう、そういう時期があるんですね。そういうふうに長い目でとらえると、骨折というのもまた別の読み方ができるんじゃないかと思います。

関節近くの骨折

ところで、骨折を最初にみたのは、小学生の子です。肘《ひじ》の近くを骨折してしまって、骨が飛び出してしまった。病院では、手術しないと、肘の近くですから曲がってついてしまうと言われたということで、かなり腫れあがって、ずれているんですね。それを両親が、手術するのはあまりにもかわいそうだ、なんとかできないかというので、ちょっとみたんです。腫れてずれてしまっているので、ものすごく痛いですから、そうっと触っているうちに、だんだんさっきいった興奮みたいなものがとれてきて、完全に元に戻ったんじゃないんですけど、ちゃんと緩んできたんですね。それで翌日再び病院に行って、手術しなければというお医者さんとの話になったんですけど、念のためにもう一回レントゲンを撮ってみてみようということになって、撮ってみたら、手術する必要がないような状態につながっていたのです。それでその子は手術しないですみました。

骨折のときには、うまく周りの緊張を緩めてやると、別に骨を引っ張るとかしなくても、その後いい状態になることができるのです。無理に治すんじゃなくて、そういう自然につながる力を体が持っているんだということです。それと、治った後でも関節の動きが硬い状態は、ちょっと気の流れをいい状態にしておいてやると、どんどんよくなっていきますね。それも一種のショックですから。

子宮筋腫

それから、急に話が飛ぶみたいですが、子宮筋腫について少し。子宮筋腫がある程度以上大きくなると、周りに癒着してしまう。周りの腹膜に癒着してしまって、子宮を手術してとる場合でも、その癒着を手術で切り離さなければいけない場合が多いわけです。

子宮筋腫の手術をするという人が何人かいて、その前にちょっとみたことがあるんですけど、子宮は、表からちょっと気を通すと反応しやすい所で、筋肉があるから、自分で動きます。かなりひどくくっついている場合でも、二、三回やっていると、子宮が勝手に動くと同時に周りの腸も動き始めるものですから、自然に癒着がとれてきます。手術して剝がすのと自然にとれるのとでは、やはり自然にとれた方がいいわけで、癒着しているかどうかで、もちろん手術時間も違いますしね。ということは、本来は子宮自体が自分自身で癒着をとる力を持っているということです。たまたまそのエネルギーの流れが、気の流れが悪い状態になっているために、全然動かなくなって、それで周りにはりついたようになってしまったんですね。

子宮は、普通の人の場合でも、かなり動きますから、子宮の位置が悪いというような場合、例えばよく子宮後屈といわれるのがありますけれど、たぶん子宮に力がない、だらっとなってしまっている感じなんだろうと思います。子宮後屈だと子供ができにくいというのは、それだけ活動力がないということで、子宮自体に力が出てくると、いい位置にきてくれると思います。子宮の位置が傾いてしまうと後腹がすごく痛くなってしまうと、お産のところでちょっといいましたが、それは、子宮自体を強い状態にしておくとほぼ大丈夫ですね。

ギックリ腰

ギックリ腰で多いのは、腰椎4番、5番がねじれてしまったり、前の方にずれるという格好になる場合ですが、ずれる前にお腹の力が抜けていて、すでにずれやすい状態になっているのがもともとの原因で、何かのきっかけでずれてしまうとすごく痛くなるということです。どういうことをしたときにずれやすいかというと、基本的には手を伸ばしたときが多いんですね。肘が体から遠くに離れるほど腰に負担がかかりやすいからです。例えば高い所に手を伸ばして物を取ろうとしたとか、あるいは置こうとしたとか、ちょっと離れた所にある物を手を伸ばして取ろうとしたとか、手を伸ばして草をむしったとか、そういう手を伸ばしたときにガクッときやすい。それはもちろん何でもないときにはそうならないんですが、お腹の力が抜けていて、すでになりやすい状況だとなってしまうんですね。

経過を左右するお腹の力

お腹の力というと、お腹の筋肉、腹筋というと腹直筋（一二五頁図③参照）だけを思いうかべるのですが、腹直筋よりはむしろ、腹斜筋（一二五頁図④）という横の方からお腹の全体をカバーしている筋肉、その筋肉の一部の力が抜けているとか、それから大腰筋《だいようきん》（一二五頁図⑤）という、上腿《じょうたい》の方からお腹側（骨盤の内側）を通って腰の骨にいっている筋肉とか、そういう所の力が抜けてしまっていると、ギックリ腰になった場合には、寝返りが打てないんですね。寝返りが打てない場合は、お腹の力が大きく抜けていると判断していいですね。寝返りを打つのがそんなに大変じゃない状態だったら、腰の骨がずれているだけですから、ちょっと腰の骨を元に戻してやれば、すぐその場で治ってしまいます。お腹の力が抜けている場合でも、体の素直な人は腰の骨をちょっと元に戻しただけで、ぱっとお腹に力が入ってしまうんですが、そう素直にいかない場合もあって、お腹の力がすぐに戻らない人もいます。そういう場合に結構時間がかかってしまいます。

普通、ギックリ腰になった場合、まず寝返りが打てなかったら、お腹の力が抜けているということですね。どのくらい抜けているかを見るには、仰向けに寝て膝を立てた状態で足を持ち上げてみて、持ち上がるようだったら、ある程度お腹に力がある。膝を深く曲げなければ持ち上がらない場合ほど、力が抜けていると考えていいのです。ひどい人は、膝を深く曲げても、全然足が持ち上がらないんです。これは全く抜けていると考えていい。その場合は骨を元の位置に戻してやると、寝ていても痛いという状況だけはおさまります。でも歩くとやっぱり痛いんですね、お腹の力が抜けきっているんで、腰に全部負担がかかってしまいますから。そういう場合は、**まず最初の三日間は完全に寝ている方がいい**んです。お腹の力がある程度戻ってこないとどうにもならないんです。

お腹の力は、ストレスがたまって、それで抜けてしまうという場合もありますし、例えば肝臓が悪いとか、糖尿病とかが原因で抜けてしまっている場合もあります。そういう内臓からきている場合は、なかなか元に戻らない。内臓に原因があって、ギックリ腰を繰り返す人もいますね。

坐骨神経痛

ギックリ腰があとで坐骨神経痛になって残る場合がありますが、これはお腹の一部、とくにお腹の下の方の少し横の所、盲腸のあたり、そこらへんの所に力が入っていない場合ですね。そのへんを触ってみて力がない場合に、坐骨神経痛になって後に残りやすい。これはお腹の動き、腸の動きとも関係があって、例えば盲腸の手術をした後の、とくに小腸と大腸の境目を回盲弁といいますが、そのあたりの動きが悪くなってしまってお腹に力がうまく入らなくなって、坐骨神経痛になることがよくあります。

そういうお腹の中に癒着があったり、うまく動いていないということで、腰に影響がいく場合が結構多い。また、人によっては何回もお腹を切って、それでお腹の筋肉が普通通りに働かない人がいます。筋肉がどこかの方向に引きつれている、筋肉自体がねじれた方向にしか力が働かない、そういう場合には治りにくいことがあります。そういうときは、腰の方をいくら手当しても駄目です。

腰のねじれの戻し方

腰の場合、骨を元のいい位置に戻すにはどういうことをやるかというと、別に無理に戻すわけじゃありません。まず筋肉の強い緊張によって、例えば右の方向にねじれている場合、同じ右の方向に、つまりねじれている方向にわずかに余計にねじれるように触ってやります。ねじれるということは、そっちの方にねじれたがっていると考えていいんです。ですから、そっちの方にちょっとずれるように押さえてやると、気の流れがよくなります。そうすると、その力で自然に元に骨が戻ってきます。全然矯正する方向に力を加えるということはしなくていいのです（二六二頁の図6参照）。

また、主に筋肉の力が抜けているためにずれている場合は、逆に少し元の方向に戻す方向に押さえてやります。その方向に押さえておくと気の流れが強くなってきて、流れが十分に強くなってくると、筋肉にも力が出てきて、元の力のある状態に戻ってくるんです。素直な場合は普通そうですね。もっと他に深い原因がある場合は、そう簡単には元に戻らないけど、普通は、大部分は元に戻ってしまいます。普通のギックリ腰は、わりあい、簡単に元に戻ります。痛みが激しいから元に戻りにくいかというと、そうはいえない。お腹の力の程度によって、元に戻りやすいかどうか決まります。普通はさっきいったような状態でお腹に力が入っていないという状態だったら、まず動かないことがいいわけです。

これは、一人だけの例ですが、寝返りも打てない、死にそうだとかいうので、その人の友人で普段気を通す練習を少ししている人が、その晩ちょっと腰に気を通してみたんですけど、その翌朝起きてもまだ痛い。しかしその日どうしても家具を運ばなければならないということで、思いきって家具を持ったら治ってしまった。持とうと思った瞬間にお腹にふっと力が入ってしまったんでしょうね。普通は逆に悪くなるんですけど、例外として、そういう人がいましたけど、よっぽど気合いの入り方のいい人なんでしょう。何がきっかけでも良いのですが、うまくそういうふうにお腹に力が入ってしまえばよくなってしまうんです。

慢性腰痛——腰椎3番とお腹と膝《ひざ》

その他に慢性的な腰痛となると、坐骨神経痛でお腹の方に原因があって慢性的に痛いという場合と、もう一つ腰椎4番、5番じゃなくて、腰椎3番が硬くなってしまう場合とがあります。また、ときどき3番が硬くなるのと、4番、5番がずれてしまうのと、重なっている人もいます。3番が硬くなっている場合は、ちょっと座っているだけで痛いとか、しばらく座っていると痛くて座っていられない、あるいは立っていても痛くなる、そういう状態になります。それも基本的にはお腹の力が足りないのです。3番の場合は、おへそより上に力が集まってしまって、それから下とくに脇腹に力が入っていないという状況なんです。3番に弾力が出てくれば、バランスがとれます。これは膝との関連なんですね。膝が弾力がある状態になっていれば、3番も弾力があるということです。膝の方の弾力を普段注意して、例えば立っているときでも自分で意識して膝が硬くならない状態で立つようにしていると、だんだん3番に弾力が出てきます。今の生活だと、どうしても膝を突っ張って立っていたり、歩いたりしますし、その方が行動のスピードが出るんですね。そういうことで、3番が慢性的に痛いという人が結構います。

あと精神的にいうと、何かやりたいことをやっているときには、お腹の下の方にぐっと力が入って、3番に弾力が出やすい。いやいややっていると、余計に硬くなりやすいということもあります。今の若い人は平均して3番が硬いですね。膝も硬いし、腰椎も硬くなってしまう。腰椎3番は、性的なエネルギーにもかなり関係があって、3番が硬くなってしまうと、年をとった人と同じということで、元気がなくなってしまう大事な所です。

だいたい腰椎3番が硬くなると、格好としては立っていて、骨盤が後ろに傾いてしまって、背中がちょっと丸まって、そのまま下腹を前に突き出しているという感じです。老人の姿勢のひとつの典型でもあります（次頁図①）。

老人化と幼児化

腰椎3番が硬い姿勢のもう一つのパターンは、腰から背中にかけて無理やりぐっとそらして骨盤を前に傾けるという格好です。理想的には（次頁図②）腰椎3番を中心にして、力を入れなくても腰が無理なく反っている感じが良いのですが、緊張させて無理にでも背中と腰をそらせると、腰の下の仙骨が前に傾きます。一見「正しい姿勢」に見えますが、無理がある。この場合、そうすることで無理にでも気合を入れる、

腰椎3番が硬くなっている
×「老化姿勢」

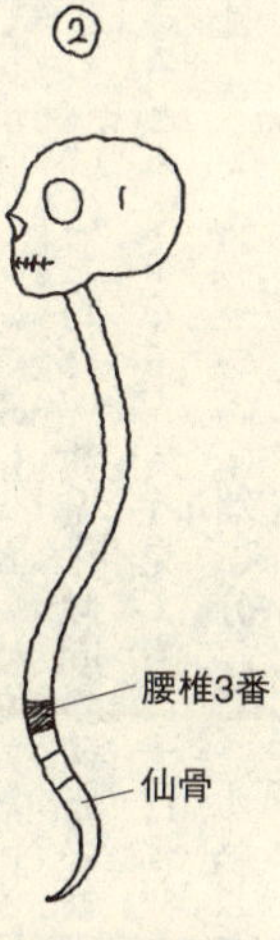

腰椎3番に弾力がある
◎「弾力姿勢」

テンションを上げるという意味があるのですが（若いうちはこれも可能です）、いずれにしろ、両方とも、結局背中が張りやすくて、すぐ疲れてしまう。そういうのはみんな腰椎3番が硬くなっているのです。これは今の若い人には実に多いです。例えば上体の前屈を子供にやらせると、全般的に、小さいときから硬いですね。基本的にそういう傾向があって、何かに対する意欲とかいうものも腰椎3番が硬くなると、落ちてきてしまいますから、受動的になります。腰椎3番の弾力があって強い子は逆に、物事に対する意欲があって、自分から喰いついていこうとする傾向が強いですね。

ただ、今の社会だと、意欲があまりない方が適応しやすいということも一方ではあって、それが余計にそういう傾向を作っているということもいえるだろうと思います。そういう意味では、腰椎3番をより硬くしてしまうという方向は、老人的な適応の仕方なんです。他方、その腰椎3番がある程度硬くなってしまうのに対して、全体を緩めて、軟らかくしてしまう、ふにゃふにゃというか、筋肉もふにゃっとした感じにして適応しようとするのが、幼児的な、幼児化傾向の適応の仕方です。若い人の中に、その両方の傾向があるとみてよくて、どう見ても二十代に見えない老けた感じの人と、すごく子供っぽく見える人と、その両極端に分れている感じがしますね。老人化傾向という、体を硬くしてしまって、関節全体も硬くなってしまい、刺激に対して反応しない適応の仕方。それと、細かい刺激にうんと細かく反応していこうとする幼児化傾向の適応の仕方。鈍化させてとろうとするのと、微細に反応してバランスをとろうとするのと、その両方に分れているんですね。腰との関連では、そういう感じになっていますね。

腰椎3番の弾力というのは、正座していてもしびれない状態のときには、非常に弾力があるといえます。例えば、生花とかお茶とかの先生をやっている人は、正座の時間が多いわけですが、そういう人たちは、例えば七十代の人でも、腰に弾力のある人が多いですね。それで、腰が痛くなっても、割に簡単に治ってしまいます。それはやはり、ある一定のいい動作をし続けていると、つまり、いい集中の仕方をし続けていると、腰の所に弾力のある状態で年をとっていけるということなんだと思います。

腰椎の弾力をみる

——弾力があるとか硬いというのは、触ってどういう状態なんですか。

例えば腰椎3番をうつ伏せの状態で上からぎゅっと押して、押された本人が苦しくない、いくら押されても何ともない、軟らかくてぐうっと押していけるような、そういう感じのある状態がいい状態です。反対に、硬い場合はちょっと押しただけで痛い、あるいはお腹が苦しいということになる。そこに力があるかどうかで、かなり元気度が決まってしまいます。そこに力がないと、何事もやる気が起きないのです。

足の親指の変形

以上に関連するのは、あと「外反拇趾《がいはんぼし》」でしょうか。すでに説明したように、足の親指がどんどん変形してくるのです。大人の場合は、ほとんど親指が変形してくるんですけど、子供の場合だと、「土踏まず」のすぐ上のあたりの骨が出っ張ってくる場合もある。これも下腹に力が抜けているとなりやすい。それはイコール脚の内側の力全体が抜けているということです。その場合、足の、例えば内側の親指につながっている骨(「土踏まず」のアーチのようになっている骨)を押さえると痛いわけですね。そのままわずかに力を抜いて、しばらく押さえておく、ということも効果があります。そこに力がついてくると、連動して脚の内側全体に力が入りやすくなる。少くとも、それ以上ひどくならない。子供だったら骨が変形しているのが治ってしまいます。

今はだいたい四十代になると、かなり変形している人が多い。外側に、小指側に親指がどんどん曲がっていってしまうので、親指の付根が出っ張ってきて、足の横幅もどんどん広がっていってしまう。だからはける靴がだんだんなくなってしまいます。

日本より欧米の方が、もっと前から多くて、足専門の矯正治療士や医者がいるくらい一般的なものなんです。この間も、東京でクリニックを開いているフランス人女性が東京新聞（一九八八・一一・一三）に紹介されていましたね。おそらく今の若い人たちが年をとる頃は、日本でも、もっと多くなっているだろうと思います。

腹筋の鍛え方

中学生で、親指の所も曲がってきていたんですが、「土踏まず」のすぐ上の骨が出っ張ってきて、すごく痛いという子がいました。そこだけじゃなくて、お腹の、さっきいった回盲部（小腸から盲腸へのつなぎ目）の動きがやはり悪くて、慢性的に軟便という状態です。骨盤もねじれていたのですけど、お腹の動きがよくないので腹筋の力も全然なくて、足を持ち上げる筋力がないんですね。

それはクラブ活動で、腹筋の鍛え方が悪くて、仰向けに寝て、膝を伸ばした状態で持ち上げる動作をやらされていたんですね。そうすると、膝を伸ばした状態ですから、腰がそって、浮いた状態で持ち上げることになって、腰にばかり負担がかかってしまって、お腹にあまり力がはいらない。腰の力で頑張ってしまって、余計悪くなってしまうんですね。それで、まず脚を伸ばしたままで持ち上げるのをやめさせて、**膝を曲**

げて持ち上げるようにしたら、お腹にうまく力が入るようになってきました。そういうやり方にして、あと、足底の内側の骨を自分で毎日刺激するのを続けて、それでだんだんそこの流れがよくなって、足の親指の内側から脚全体の内側の力がついてきました。もう一つは、足の親指を手でぐっとそらしてやって、そのまましばらくおいて、それから足の指先から息を吐くような感じにして元に戻してやると、親指側の流れがよくなって、さらに脚の内側の力がついてきたんですね。こういうことをやっていて、全然痛くなくなったのです。

6　時代と体質

アレルギー症状

——人間の体や意識はその時代の社会の在り方と切り離せないということがあちこちに出てきました。それでまとめの意味で、これまでのお話を思い出しながら、体質と時代との対応関係を整理してみたいのですが……。

体の面からみると、一番象徴的なのは、アトピー的な体質の子供が増えているということです。また、大人の場合だと、花粉症のようなアレルギー症状がかなり増えていて、これは現在の社会や、自然環境に対する適応であると考えざるを得ません。自然環境ということでいうと、いろいろな環境汚染物質が多くなって、それを何らかの形で排泄しなければ生きていけないので、異物に対して体がすごく敏感になって、異物を認識して、例えば皮膚から出してやるとか、いろんな形で排除するようにやっているわけです。そのように過敏に反応していかないと、体のバランスがとれないんじゃないかということですね。

幼児化現象

一方で、大人と子供を比べると、子供の方が元来体質的には過敏なんですね。例えば風邪はひきやすいし、熱を出す場合でも大人みたいにぐずぐず変化しない、変化の仕方が早いわけです。そういう体の変化のしやすさは、当然精神的な状況にも影響していて、体のバランスが変化すれば、当然気分も変化するわけで、すごく気分が変わりやすいというか、気が変わりやすいというか、悪くいうと飽きっぽいということになります。ところが、前にも言いましたけれども、そういう幼児化現象の方向が大人の場合でも最近は強く出てきているんじゃないかと思います。若い世代ほどそういう変化が大きくて、八〇年代の若者を象徴する「新人類」的な行動様式といわれるものも、その中に含まれるだろうと思います。それは変化の激しい社会に対して軟らかく、デリケートに対応していくというか、変化に細かく対応していく方向なんだと思うんです。

老人化——体を鈍化させる

それとは逆に、変化に対して、感覚を鈍くさせて対応することも、一方であるわけですね。変化にいちいち反応すると非常に疲れるので、反応しない方向に対応していった方が楽だということですね。そうすると、意識の固定化というか、頭が硬くなる。別ないい方をすれば老人化するということです。若い人の中でも、顔つきとか体つきが老人化しているという傾向も、一方であります。例えば腰が異常に硬くなっていたり、表情に変化が少なくなっていたりとかですね。

燃えつき症候群

もう一つ、従来の人間の生き方について考えてみると、過敏な体の状態と反対に、例えば努力をするとか頑張るとか、何か仕事を成し遂げるということに価値の中心があったと思うんですね。何かに執着するとか、一生懸命目的に向かって邁進するとか、ある種の固定的な価値観を貫くことがよいとされていましたね。こうした傾向も頭が軟らかいというよりは硬い構造なんですね。一方で、そういう考え方がずっと残っていて、それであんまり頑張りすぎて、あるところで適応しきれなくなる「燃えつき症候群」、あるいは鬱病が出てきています。鬱病も、いかにも鬱病という感じではなくて、普通の生活をしていて表面的には、いかにも明るく見える人が、実は鬱病の状態であったりする。あるいは仮面鬱病ですね。精神的な状態に出ないで体の方に出てくる、例えば胃潰瘍とか十二指腸潰瘍のようなストレス性の潰瘍なんかもそういう傾向の一つといえると思います。そういう、一方で社会的なストレスに対して強く生きようとして、体の硬直を招いているともいえます。

「敏感」と「硬直」への分化

ですから、体からみて、大きく分けて、敏感に反応していくか、逆に硬直して鈍く反応していくか、両極にだんだん分れていっているような感じがあるのです。「新人類」的な行動様式というのは、体の過敏化と同一な方向で考えられます。例えば、「軽薄短小」といわれる軽い感じですね。体質的にもともと過敏な体質の人は、すごく軽く見えるんですね。軽く見えるというのは、体の動きも軟らかくて、軽く見えるのですが、言葉も重みが感じられない。人間関係も、あっさりしているというか、厚い関係、粘っこい関係というのはあまりないわけです。何かの固定的な価値観を持って生きるのができにくいというか、別な言い方をすると、今を中心に生きている。悪くいえば刹那的、よくいえば今この瞬間を一番大事に生きているということです。別の面からみると、意識の中で自分の内面世界が大きくて、自分の外側の世界が小さいということですね。

そこで、いわゆるカウチ・アンド・ポテトといった生活スタイルのように、家の中でごろごろして、ビデオなんか見ていて、それが気分がいい。実際にどこかに行って活動しないと納得がいかないのではなくて、自分の内的な世界で十分気分がいいという雰囲気が強いようです。こういう人はストレスに対しても、表面的には過敏に反応するんですが、大きな深いショックは受けにくい。逆に、頑張るタイプの旧世代の人は、表面的にはあまりショックを受けていないようですが、知らないうちに体の深い所にショックがいっていて、それが積もり積もって、体の中の方から硬直していくという傾向があります。

不登校

先ほどの、あまり過敏な人の場合は、ストレスに対してすぐに反応しすぎるんで、仕事や学校に適応できない場合も出てくるわけです。例えば、学校に行っている子供の場合、とくに過敏な子は、学校の中でも自分の世界の中に住んでいてぼうっとしているか、逆に無理やり頑張って、先生から見ると積極的にみえるんですが、本人は大変な緊張状態になるか、そのどちらか一つしかないんで、不登校の子の中にわりにそういうタイプの子供が多いんですね。もう一方で、頑張るタイプの子供で、自分の価値観を強く持っていて、エネルギーも強い場合にも自分の思い通りにならないので、学校や仲間から弾き出されて、不登校になることがあります。

学校でそうだということは、社会の中でもそういうことがあるわけで、過敏な人の場合は一つの仕事をずっと続けることができない。逆に頑張る人の場合は、今の社会の中で一定の強い価値観を持ちにくいために、自分の生きている意味が分りづらいということがあって、社会的に適応しにくいこともあります。それはさっき言った鬱病なんかと関連してくると思います。

過敏体質の適応方法

――じゃあどうしたらいいか、ということですが。

例えば、過敏な方向に適応している人は、頑張れば頑張るほど悪い方向にいくというか、うまくいかないという傾向があると思います。仕事に適応しようとすると、何かとにかくやらなきゃいけないという、追われるような感じになるんです。何かやっていないと落着かないというか、自分の居場所がどこにもないような不安感ですね。それで、何かをやらなきゃいけないと思ったときに、ワンテンポでも待っていると、楽になると思います。向こうからやってくるのを待っていて、それで対応するということですね。どういうことでも人間関係で相手がいることですから、自分がやらなくても相手が自然に動いてくれることがいっぱいあるわけです。そういうタイプの人はじつは、無意識のうちに人を動かす力を持っているので、それを待っているというのが一つの手で、そういうふうに回転し始めると割合うまくいきます。もう一つは、自分のペースでできる仕事だと大丈夫なんですね。人に邪魔されないで、自分のペースで好きにできる、一人でとにかくやっていればいいような仕事ですね。

登校儀式と薬物依存

また社会的に適応するためには、ある程度以上の興奮状態が必要です。気分的に自分を盛り上げるために儀式的行動をとることがよくあります。時間的には二時間が一つのサイクルになります。登校（出社）の二時間くらい前に起きてシャンプーしたり、トイレに行ったりという行動を規則的に行なうことで徐々に気分を盛り上げる必要があるということなのです。八〇年代になって十代のいわゆる「朝シャン」が普遍化したということは、社会的適応の厳しさを表している。化粧に時間をかけたり、髪を整えたり、朝風呂に入ったりするのも同じですね。儀式的行動を上手に取り入れて緊張とリラックスのサイクルをつくってバランスをとることもできるわけです。

一方で儀式的サイクルをうまくつくれない場合、薬物に頼るということもでてくる。興奮状態をつくるための覚醒剤、コカイン、あるいはリラックスさせるためのマリファナ・アルコール・睡眠薬、食べ物ではチョコレートのようなものに頼る人たちもでてくるわけです。

過敏な身体とアート感覚

過敏タイプの人は、何にでもすごく敏感に反応しますから、インスピレーションはあるんですが、それを何かの形にまとめるのがうまくいきにくいわけです。それと執着する傾向と、両方とも持っている人は、うまく使い分ければ、センスがあって、まとめる力があるということで、能力が発揮できる。軽い傾向ばかりが強いと、短くはまとめられるけれども、体系化したりするのは難しいんですね。

例えば絵を描く場合、瞬間的に描けるようなタイプの絵だったらいいんですが、油絵のように全部を埋めつくさなければならない場合、だんだん余白がなくなってくると、息苦しくなってくる。最後の詰めが、すごく本人にとって苦しい、それでうまく完成できないという傾向があります。余白を残してできるようなことが楽なわけですね。例えば書道のように、ぱっと書いてしまえばすんでしまうような、絵でいえば俳画みたいに余白だらけとか、描く所が少ないのが楽なんです。文学では短い句にまとめる俳句のようなものが、できやすいわけです。絵を見る場合もジッと長く見ていられない。瞬間的に全体をとらえてしまう傾向があります。芸術的感性は鋭く日常感覚そのものといってよいが、芸術的価値を重くは考えていません。

漫画

漫画の場合でも、あるキャラクターが瞬間、瞬間でどういうふうに動いていくかが面白くて、全体に、最初から、小説みたいに構造や筋が決まっていて、起承転結があって、すっきり終わるというのが面白いわけじゃないんですね。実際に漫画を描くということになると、まとめなきゃいけない面があるんで大変なんでしょうけど、読む側からすれば、その瞬間、瞬間が面白いんで、そういう反応が楽だということです。活字というのは逆に構造を把握しなきゃいけないというか、全体を通した価値観みたいなものを把握して、さらに把握するだけじゃなくて自分でもある程度自分なりの価値観をもっていないと読みづらいというところが、活字を遠ざけている、大きな理由じゃないかと思います。

社会が流動化していることに対応して意識の変化のスピードが速くなっている。硬い指針を押し通すより変化の波に軽く乗っている。つきつめて言えば、生き方そのものを重く見ない生き方ということにつながるだろうと思います。

執着体質の適応スタイル

逆にそういう活字型の価値観を持っていないといられないタイプの人も、今は、生きにくいわけですね。どちらが生きやすいか簡単にはいえませんけど、こういうふうに生きる、生きるというのはこういう意味があるんだ、ということを一生通して継続するというのは、現在の社会ではすごく難しいだろうと思います。先行きどうなるのか分らなくて、社会自体にすごく不安定な感じが強いですから。逆にいえば強い価値観を持ってこないと対応できない時代です。

しかし、現実には強い、中心的な価値観がないんで、例えば、政治的に、何かに対して反発しようとしても焦点がぼやけていて、どこに反抗したらいいのかも分らない。反抗するにしろ、何かを守るにしろ、何かに拘《こだわ》るということが、非常にやりにくくなっていると思います。それで大きな意味での価値観というのは持ちにくいのですけど、もうちょっと個人的なところで執着するとか、そういう方向ではやっている人はいっぱいいると思うんです。

しかし、大きな流れでの執着というのができにくい。だから個人的な、例えば何かを集めることに執着したり、趣味的なところで執着するとかいうことによってバランスをとっているんです。生き方でも、例えば食べ物に拘《こだわ》るとか、都会で生きることを否定して田舎で生きるとか、そういうやり方でやっている人はいると思います。それはだけど、大きな意味での、社会的な形での発言にはならないですね。個人的な生き方という意味での執着というふうになると思います。若い人の中には、今あるもの、もてはやされているものも含めて全てが下らなく見える。強い意味であらゆるものに興味がもてない。が、まだ見えてこない何かに意識が集中している頼もしい感じの人も中にはいます。

もっと先にいけば、そういうのが何かの形で大きな流れになるかもしれないですけど、今のところはそういう先が見えるような状況じゃないですね。どれが大きな流れになっていくかは、まだ今のところよく分らない。そういう時代がまた来るんだと思いますけど、今のところはものすごい曲り角で見えなくなってしまっています。

団塊の世代

——片山さんくらいの世代というか、全共闘の世代から漫画というものが切り離せなくなりましたね。それから今の子供たちにまで連続してきているんですけど、はしりの世代としてどういうふうにお考えですか。

団塊の世代、全共闘の世代のあたりは、旧世代と新世代のちょうど結び目だと思います。だから両方の要素を強く持っている、何かに執着する傾向も強くて、例えば政治的な主張も割合はっきりしていた。かといってそれだけかというと、そうじゃなくて、今のもっと若い世代の傾向というのも持ち合せているんですね。全共闘運動のような政治的な反応、それは一面だと思いますけど、何か自分たちが価値観を持ち得るとか、何か新しいものを作り得るんだと思っていなければ、ああいう運動はできなかっただろうと思います。しかしその時代は、少くとも反抗する自分の核が、ある程度あるつもりで一生懸命やってみたら、どこにもそういうものはないのが分ってしまったということだと思うんです。

その後は、どんどん非政治化していってしまって、一般的には保守化といわれていますけど、無関心化といった方がいいのではないかと思います。今の若い人たちにとっては、もう右と左という意味は分らないんですね。そういうところに拘るという意識は、なくなっているんだと思います。

――そうすると、漫画愛好というのは、最初思っていたその核が実はなかったんだというところで、表面的な、あるコマの移りそのものに関心を持つというようになったということでしょうか。

そうですね。その当時だと、例えば白土三平の漫画はすごく論理がはっきりしている面が一方で受けたんですね。しかし、それは二面性を持っていて、実はひきつけているものが、それ以前に論理ではなくて画面そのものなんですね。そこで身体的に訴えているものがあって、それがあるから論理的な納得がいったんです。その後、漫画の中にあったストーリー性とか枠組というのが、どんどん外れていったんですね。それはもともと漫画の本質が、そういう論理的な枠組じゃないからだと思います。それを入れることもできますけど、本質ではないと思います。それから、今の漫画を昔の漫画と比べると、明らかに顔つきが幼児化してきていますね。体の格好もそうです。一方で異常に筋肉質の体つきをした人間が登場することはあるんですけど、大部分はきゃしゃな体とか、手足の短い幼児化した体つきで、顔つきも幼児的という方向になってきていますね。

時代の二つの極

——結局、今の時代を代表する体質は、広い意味での「惚け」と「過敏」ですね。

それは両方の極だと思います。あることにしか拘らないで、その小さな所に完全に住みついてしまう、他のことにはまるっきり反応しなくなるのが「惚け」だと思います。例えば、昔の状況の中や昔の生活の中に完全に住んでしまう。その方が、余分なことに反応しないでいいから、楽なんです。そういうことを若い人の中にも、やっている人がいると思います。本当に惚けるというふうにはならないですけど、惚けたふりをするなんていうのは、出てくるんじゃないでしょうかね。

――過敏の方の極致はどういう状態なんですか。

極致はもう、社会的に仕事をするとか、普通のことができなくて、一見何にもしないということですね。ただ、人間関係の中で、そういう人がいるだけで空気がよくなるんですね。

例えば、ある職場にそういう人が一人いると、全体の緊張感がすごく緩むんです。その人は意識してそういうふうにやっているわけじゃないですけれど、いるだけでそうなる。その人が何か仕事をするということに積極的な意味があるんじゃなくて、そこにいること自体に意味があるんですね。例えば仕事を一生懸命その人はやったとしても、周りの人からみるとあんまり一生懸命やっているようにはみえないんです。楽そうにやっているとか、遊びながらやっているとか、いつも楽しそうだとか、そういうふうにしかみえない。それは、手を抜いてやってても、一生懸命やってても、同じようにしかみえない。その人の発する雰囲気ですから。執着心の強い人は周りを緊張させるという面があるんですけど、全然そういうところがなくて空気みたいな感じなんですね。透明感があります。

一方、そういう人は、別の在り方でいうと、何か先に起こることなどに対して、すごく感じやすいんですね。普通は自分の意識の中に、現在と未来と過去というのがあって、それを整理して生きているわけです。自分は今までこういうことがあって、こういう位置にいて、そうすると将来はこういうふうになるだろうというふうに、ある意味では論理的な予測と経験の積み重ねで考えていますね。それがなくて、昔のことを簡単に忘れてしまいますし、ひどくなると昨日のことでも簡単に忘れてしまい、先のことも考えられない。現在の、目の前のことしか考えられないという傾向があるんですが、逆に論理的にではなくて、無意識に先に起こることを感じてしまうということもあります。

「過敏」の排泄＝浄化力

僕は今の時代を肯定も否定もしないですけど、体の面からみて過敏ということは、体の中の反応が表面に出やすいわけです。そういう意味では面白いといえるだろうと思います。また、そういうふうに出てきてくれないと、適応できないような生活環境になっている。さっき言った、いろんな汚染物質との関連でもそうだと思います。もっと極端にいうと、放射性物質がありますね、そういうものを何らかの形で排泄してしまう体になっていかないと、生き残れない自然・社会環境になっていくのかもしれないのですね。それに対して体が反応しているんですね。ですから、適応という意味では肯定的に考えていいと思います。

過敏な人は、例えば食べ物で自分の体に合わないものはすぐ吐いたりしやすいですし、薬もちょっと飲むだけでもすぐ具合が悪くなる場合もあるし、逆にすごく排泄能力が高くて、本当だったら副作用が起きるはずのものも副作用がこない、平気だという人もいるんです。最初から受け入れないか、受け入れてもどんどんすぐ出してしまうか、そういう力を持っている体だと考えていいんです。また別の側面で言えば、さっきいったように過敏な人は時代の変り目を予感しやすい。そしてそういう時に興奮して元気になりやすい。「黒船」を見て一番先に興奮する人たちです。

軟らかい価値観

――今は、大きな時代の変り目みたいな感じがするわけですけど、そういうように体の反応が表面に出てくることで、今までとは違った社会観なり価値観なりが生れてくるかも知れない……。

それは長期的にみるとよく分からないんですけど、例えば、軟らかい価値観の世の中の時期というのは、あってもいいんじゃないでしょうか。絶対にこれだという価値観を持たないで、どういうふうにでも変化できる。例えば組織の構造の面でもそうですし、社会の形態の面でもそういうことがあってもいいんじゃないか。具体的にどうなるかは、ちょっと分からないですけど、例えば、会社などの組織で、どこに中心があるかというと、ピラミッド型でなくて、ネットワーク的にどこも中心だといった組織の在り方は、強くなってくるんじゃないかと思います。また、そうじゃないと、時代の変化に適応できないということがあるんじゃないでしょうか。もっと先になったら、またそうじゃない状態になっていくのかもしれませんけど。

例えば認識の仕方でいうと、論理的にあるモデルをたてて切りとるやり方、別の言い方をすると説得的というか、悪くいえば押し付けのような在り方と、対象と共鳴することによって感じるという理解の仕方とあると思います。実際には芸術家などは両方使っているのだと思います。感じるものがあって、それを何かの形式に組み立て直すということがあるんだと思います。

今までだったら理論的に何かを組み立てる場合、相手を批判して攻撃して打ち倒すことを繰り返しながら作っていくということがあったと思うんです。そうじゃなくて、論理を組み立てていわなくても、知らないうちに別のレベルで何かが浸透していく、そういう変化の仕方、変化の与え方が多くなったような気がするんです。別に相手が表面的に違うことをいっていても構わない、意識されないような深いところで共鳴できればいいという。

互いに共鳴すれば元気になる

――その場合の共鳴のポイントとは何でしょうね。

例えば、体の中でいろんな器官がそれぞれ別な働きをしていて、それぞれの波長を持っていて、それぞれの響きを持っていますね。それが、一つ一つは別の波長を持っているんだけど、全体として一つの響きに聞こえるというような感じだろうと思うんです。一つ一つが独立してはいるんですけど、どこかで共通して鳴っている部分があるということですね。例えば細胞でいうと、一つの細胞を取り出して培養液の中に入れておく場合と、たくさん入れておく場合とを比べると、たくさん入れておく方が断然長生きするんです。生きるということでは同じなんですけど、たくさん集まっている方が、別に何か協力しあうわけじゃないのですけど、長生きするんですね。それから、ゾウリムシのような生き物は、何回か分裂していくと、あるところで分裂できる能力がなくなって、接合して、それでまた分裂能力が回復するんですね。そういう何かの交流があると元気になるということがあると思うんです。それは、単に違うけれども一応認め合おうという意味じゃなくて、交流できる面があるとお互いが元気になれる、そういうことではないかと思います。

感受性の違いを認めることと共鳴すること

例えば、自分の日常的な感覚でいうと、体質的な違い、体癖ということですね、それは、同じ物事に出会った場合でも、人それぞれ受け取る感受性が違うわけですね。同じ生活環境で育ったとしても、感受性が違うことによって、違うふうにそれが取り入れられていくということです。そういうことが、本当に認められれば、人がそれぞれ違う反応や行動をとることを互いに認め合いやすいんじゃないかと思うんです。自分で本当に感覚的に分れば認めやすいと思います。自分の中にも当然、どうしてもこういうふうに反応してしまう面があるというのが分れば、直接的には理解できないにしても、人にも当然、そういうそれぞれ違った感受性があるということが了解できると思います。さっき言った共鳴的な理解というのは、そういう、違うという感覚自体

を感じ取るということで、こうなったときに、こういうふうに相手が反応していると
いうことを敏感に感じとれるということは、その瞬間に自分が一時的に違う状態に変化できる軟らかさ、あるいは揺らぎを持っていることだと思うんです。そういう共鳴的資質というべきものは、生物が本来持っているものでもあると思います。ある他者の価値観があるとして、同調はできなくてもそういうふうにも納得できないことはないと感じられることが、軟らかければできるし、過敏だというのは、そういうことだろうと思うんです。

親が子を見るとき

例えば、親が子供を見る場合、この子はこういういいところがあるとか、悪いところがあるとみていくとしますね。いいところがあるというのを強くみたとしても、悪いところがあるというのを強くみたとしても、両方とも子供にとっては負担なんですね。面白い子だとみた場合には、子供の方はそんなに負担じゃないんだと思うんです。親も楽です。こういういいところがあるといえば、そのように子供はならなければいけないし、親もそういうふうにしようと思ってしまうし、ある種の期待をかけてこういう人間になってもらいたいという価値観が生れる。だけど、面白い子だというふう

に思った場合は、お互いに楽で、そういう意味では健康なんだと思います。生き方も、自分も相手もこういういい生き方とかいうんじゃなくて、共鳴を軸にして面白い生き方ができればいいというふうに考えれば、今みたいな世の中だったら、とくに楽だと思うんです。

体の構造に合う社会

社会の在り方で言えば、人間の体に馴染みやすいような在り方になるということですね。前にも言ったように、例えば道路が全部舗装されて、そこばかりを歩いていると骨盤が後ろに傾きやすくなったり、膝が痛みやすくなったりしますけど、それは人間の体の構造にどこか合っていないところがあるんですね。それは社会の組織的なところにも通じていて、逆に人間の体の構造に近い在り方、そういう社会の在り方に変わっていけるといいんじゃないかと思います。社会の在り方というのは、人間がもともと自分の中に持っている何かの構造が反映しているんだと思います。脳の中にもともとあるものを外側に外化しているだけで、ないものを作っているわけではない。今の社会の考え方は、その中の硬い部分、硬直した部分だけを取り出しているというか、例えば人間の体に対する見方でいえば、機械論ですね。確かに機械論的に部分の集合として人間の体を分析していくことはできます。

とくに医学はそれで徹底的にやっていって、確かに命を救うとか生かすとか、病気を叩き潰すとか、そういう面ですごい強い力を持っていることは持っているんですが、それが人間が生きるということにそぐわない面が、やっぱりいっぱいできてきてしまって、やはりどこか違和感がでてきているというのが実際だと思うんです。それがシステム化されて巨大なものになるほど、人間自体が逆にそこから疎外されていってしまう。そういう意味では医学自体が今の社会の状況をすごく反映している。といって、機械的な面を全面否定するというのでもなく、それを含めて人間の構造に近いような、医学なら医学自体のシステム自体が人間の体に近い有機的な形になっていければいいんだろうと思います。それは社会全般についても同じことだといえます。

医学の課題

――つまり科学を否定するということではない。

ええ、そうじゃないです。自然といっても、結局、人間の価値観を通して見た自然に過ぎないんですから。本来の意味での自然ということは、人間がまるっきり動物と同じように生活している状況でしかあり得ないと思うんです。でも、それは絶対にあり得ないことです。人間はもうすでに、食べることからして知識なしに選んで食べていくことすらできないんですから。だから、今みたいな形で社会や科学ができているのであって、それを無視することはできません。ただ、それがこれからどういうシステムになっていくかということが、問題なんだと思います。

そういう意味では今までの認識の仕方、理論の組み立て方自体も、おそらく変わってこないといけない。逆に生物的な活動の在り方の観察が深まっていくと、意識の在り方の方も変わってくるということがあり得るんじゃないかと思います。

実際、さっき言ったみたいに、医学のレベルで、どうしても人間が生きていることと医療システムのズレは、矛盾として認識せざるを得ない状況です。そうすると人間そのものを変えるということはできないですから、システムを変えるよりしょうがないんですね。医学の考え方そのものを変えるしかないということになると思うんです。そうすると、研究の在り方も変わってくることになるだろうし、それは、おそらく今までの学問よりずっと面白いだろうと思いますね。

これからの整体

一方で、近代的な観念の枠組に対して、整体という考え方は、今のところ、違う認識の仕方、別のシステムであることは確かですが、そのままでは駄目だと思うんです。もっと面白くならなければ、少くとも漫画を読むよりは面白くならなければ駄目だろうと思います。今より進めるとすれば、例えば気から体をみていくことがどういうふうに際だって面白いのか、そういう見方をしていくと面白いことがいっぱい分る、というふうになってくるといいんじゃないか。そうすれば、何か他のことにもインパクトがあるだろうと思います。発想として魅力を感じている、何かがあるという人たちが少しずつ増えてはいますが、それは今のところは、何か違った効果があるという、一般的にはそういうレベルのことです。それが、ただ違った効果があるということじゃなくて、違った面白いシステムなんだということにいかなければ駄目ですね。

非治療的発想の整体

——例えばお灸の本とか見ますでしょう。それはもちろん、東洋医学的なものだとは思うんですけれど、体の全体構造ではなくて、悪い部分がバラバラに取り上げられていて、かなり機械的な感じがするんですね。それでないと売れないということもあるのでしょうが。そういう意味では、違うようでいて西洋医学的な発想なんですね。

やはり治療ということが軸になっているものですからね。だから考え方の一番大きい分れ目は、治療と考えるか、考えないかということだろうと思います。治療を含めてもいいんですけど、気を中心にした整体の考え方は少くともその範囲ではないということです。一人の人間を個別に取り出して、その体をどうこうするということじゃなくて、他の人とのつながりを考える。少くとも整体という行為自体が気の交流ということを前提にしていますから、**気の交流とか共鳴ということがなければ成り立たないんです。**

ということは、普通の生活の中でも、例えば話すとか、一緒に生活するとかいう中でも当然気のレベルの交流とか共鳴とかいうものが起こっていて、それをどういうふうにみていくかということになっていくんですね。別にとりたてて整体をしなくてもいいんで、その人の普段の生活の中で、うまく交流ができていればうまくバランスがとれるはずです。

それから、人間だけじゃなくて、他の生き物とも交流があるし、さらに、住んでいる建物とか、持っている物とか（物の場合は直接的な交流があるかどうかはちょっと難しいと思いますけど）、少くとも何かそこに物があることによって、ある影響を受けることは確かですね。一つの場のようなものができあがっていて、一人の人間の気の在り方がそれによって変化を受けるという面は、あると思います。こうした普通の生活そのものの中でみていくということに広げていかないと、たいして面白くない、意味もあまりないということです。

いろんな療法があって、しかもお互いに矛盾し合う部分が、ものすごくたくさんあって、それぞれが成り立っていることになっているんですが、一つは、一人一人の体質によって合う、合わないが根本的にあって、この人にはこれをやっていいけど、他の人にもこれをやっていいというふうには、いえないということです。

もう一つは、同じことをやっても、やる人によっても違うし、やってもらう人によっても違ってきてしまう。これは、気の交流というレベルの問題は、意識しなくてもあるわけですから、例えば鍼《はり》をやる場合でも、鍼をやる人と受ける人との間にそういう交流が成り立っていなければ、やっても駄目だということですね。それには体質的な相性というものもあるでしょう。それからやる人の側が無意識にでもそういう共鳴的姿勢を持っているかどうかということ、まあ機械的にやっているかそうじゃないかということの違いというのがあると思います。

野口整体の場合

もっと大きく切り離して、治療ということを至上の目的にしているか、していないかということで言いますと、野口整体は考え方として「治療を捨てた」ということがターニング・ポイントで、病気というのは、その人の生きることの中で一つの経過にすぎないという考え方ですね。**病気があっても、そのときどきでバランスがとれていればそれでいいん**だという考え方が大きなところですね。

治療に軸を置いた場合と、これは別に何をやったっていいんですが、**その人にとって一番素直な生き方、いい生き方ができる状態にする**ことを目的にする場合とでは、これは病気があるかないかということと全く別問題ではないけれども、病気自体が全然違う意味になってしまうのです。一般的にも、病気をしてかえってよかったということはいっぱいありますし、そういう全体の中で考えるというところがうんと違うんですね。具体的にはどういうやり方をしても、それは構わないんです。鍼でももちろん構わないし、どういうやり方でも、技術的には構わない。そういうことが押さえられていれば、何でもいいんです。一番大事なのはその点だと思います。

一人一人が、自分に合った方法、あるいは療法をいろんなやり方の中から選ぶとしても、そういうものは、その人の生活にとってはごく一部ですから、一パーセントくらいの手伝いができるに過ぎない。結局はその人の力で生きるということが基本なんですね。

あえて、野口さんと僕の考え方の違いを言いますと、野口さんはこういうふうに生きようという意志があれば、生きられるんだという、人間の意志という点を強く押さえていたと思います。やはり、こういうふうに生きるべきだという、強い価値観は持っていたところがあるんですね。それは野口さんの体質からくるところだと思います。

その人の行きたい方向に

しかし僕にとって野口整体は、技術的なことではなくて、思想的なことで、大きい意味があったと思います。人間をみるときの一つの見方、方向を与えてくれたという点がものすごく大きいと思うんです。結果的にはいろんな見方が違うところが出てくるんですけど、僕の場合は人をこういう方向に指導するんだということが弱い。その人は、その人のあるべき方向に自然に、例えば気の交流というものが成り立てば、自然にそういう方向にいってしまうものであって、こういう方向に行けといったから行くものじゃなくて、行けといってもいやなものは行かない。その人の行きたい方向に自然に後押しした場合は、そっちの方にスムーズに行くんですけど、そうじゃない方向に後押ししても、全然その人は動きたがらない、本質的には動かない。

それで、野口さんに、こっちへ行きなさいという感じが強いのは、そうじゃないようにしているつもりでも、そうなってしまうということかも知れません。僕の場合はたまたまできないからで、自然に、無理にこっちへ行けということは、やろうと思ってもできない。無理やりに治すというのは結局できないんです。野口さんは、おそらく、治療的に、無理に治してしまうということもできる人です。

例えば、気をあるところに集中して、丹田に無理にでも外からの力で気を集中してしまえば、バランスはそれなりにとれるんですね。とれるんですけど、本人がその気になってそうなったんじゃなければ、長い目でみたら、やっぱり駄目だと思うんです。でも短い期間をとれば、それでも治療ということで成り立つと思います。

そうじゃなくて、その人が「その気になる」ということを目的としてみた場合は、治療ではなくて、その人が勝手にそうなってしまう、それのきっかけとして何か整体みたいなものが呼び水になる。ある方向に行くのを邪魔している何か、例えば緊張して固まって動けなくなっている状態をふっととってしまうと、自然にそっちの方に行ってしまうということはあるわけです。ですから、気ということでいえば、つかえているものを発散させてやることを中心にするか、集中させてこっちの方向に意識を集めることを中心にするかという、極端にいえばそういうことの違いなんですね。

パワーは必要か

――そこのところは両者の個人的な資質の違いということもあるんでしょうけど、同時に、かなり時代的なものを感じますね。

それは大きいと思いますね。その方が大きいかもしれないです。例えば気功法は、中国のをみていても、すごいパワーのある人だと、無理にでも人を動かしてしまうんですね。その場合、本質的にその人の行きたい方向に行っているかどうかが問題になってきます。かえって、あんまり強いパワーがない方がいいのかもしれない。たいしたパワーじゃなくて、ほんのちょっとの変化によって、その人が自然にそっちの方に行ってしまうというのが、理想的だと思います。それは、気功法だとか整体だとかということに限らず、日常的なことの中でいっぱいあることだと思います。体が自然に素直な状態になっている人がそこにいると、無意識に人に変化を与えることができるんじゃないかと思います。そういうことが、いろんな形で波及していくといいなと思っているんです。

──そうならないと、絶えず強い人に頼らなければならないということになりますね。

そういう意味では、野口さんという人はすごいカリスマ的な力を持っていたといえるでしょうね。確かに時代的にはその方がよかったんだと思うんですけど。

野口整体の転回点

野口さんの考え方の中にはいろんなものが流れ込んではいますが、「病気は経過するものである」という一番核になるところは、もともと若い頃からのものを読んでも、確かにずっと同じことをいっているんですけど、表現では変わってきているところもある。若い頃は、意識としては明らかに治療を目指してやっています。それがもうちょっと核の部分では、実際にはすでに摑んでいて、決して最初からなかったものが急に出てきたわけじゃないのですが、ただ意識的に治療を捨てるといったのは、戦後なんですね。おそらく戦後十年くらいたってからじゃないかと思います。体癖という考えを組み立てた時期ですから。体癖というものを組み立てたときに、はっきり、逆に本質的なところを意識されたんじゃないかと思います。それがなかったら、ただの治療家というか、すごい治療家ということで終わってしまったでしょうね。優れた治療家というんだったら、いっぱいいますから。

――今も話が出ました体癖は先天的なものであるというのは、どういうことなんでしょうか。前にもうかがったように思いますが、もう一度お聞かせ下さい。

体の資質として、例えば筋肉の資質の違いなど、遺伝的に持っているものだと考えていですね。ただ、例えば体の資質を、筋肉の資質に限って分類することもできるし、血液型で分類することもできるし、いろんな分類の仕方はあるんですけど、それをもう少し軟らかい枠組で全体的な体のバランスのとり方のパターンから野口さんは分類したのだと思います。分類の仕方も、十二種類に分けていて、そこらへんも陰陽五行とか、そういうものに影響を受けているという可能性はありますね、何種類に分けたっていいわけですから。

——そういう意味では野口さんの場合は、いろんなものを総合的に取り入れているといえますか。

利用はしていますけど、本質的にはあまりとらわれていないんじゃないでしょうか。戦後すぐに書いた本（『整体操法読本』一九四七年）があるんですけど、それはツボをどう押さえるかといったことを、詳しく言っているんですね、ここは開くとか閉じるとか、そういう技術的なことであったんですけど、だんだん捨てていっている感じです。最初は詳しくそういうことを研究して、どこがどういうところに影響があると、かなりやっているんですけど、ある時期からそういうのはどんどん捨てていって、だんだんいわなくなっていますからね。今残っている本の中では、ツボみたいなものを書いているのは、数が少ないですね。自分でもそういうものを整理したんだと、はっきり言っています。これだけのポイントがあれば、まかなえるということでしょうね。それを複雑にすればきりがないし、そこがすごいところだと思いますね。だんだん複雑、精緻化するというのが普通ですから。

——シンプルにしていくわけですね、同時に全体を摑む。

それで結局「体癖」というところにいきついた。「愉気《ゆき》」というのも、途中で字が変わったというのが面白いですね。最初の、輸出の「輸」というのは一方的に送るということで、愉快の「愉」になって相互交流という考え方ですからね。

身体システムと医療システム

——長い間お話しいただいてありがとうございました。最後に片山さんの〝結びの言葉〟で終りたいのですが。

機械論的な立場から考えても、一般的に生物は、自然環境の一部に組み込まれ、いわば自動制御システムで動いていると言えます。人間は一部自動制御が破れているために、自らを補完するシステムを社会的に造り出すことによって、自然環境に適応してきたということだと思います。

医療システムというのは特に端的にその辺の事情が表れる。つまり医療システムは人体の部分的代替システムであって、自動制御がうまく行かない場合にそれを補うためのものです。しかし実際に補助する部分はごく一部（あるいは一時期）で——ごく一部でも影響大の場合もあるが——生を全うする中で九九パーセントに関しては自分で何とかやっていると思うのです。

例えば医学的な検査ででてくる数値よりずっと多くの要素に関して、普通は脳をはじめ各器官、細胞がモニターして自動的にバランスをとっているわけで、これを全部外的システムで駆動しようとすれば超巨大システムになってしまう。ほんの一部を代替しようとするだけでも、今日のような巨大な医療システムを必要としているわけで、逆に、人体というのはたいへんコンパクトに効率よくできているわけです。

また医療システムを含めて人類が今日まで造り上げてきたものは、人間の脳が造り出したものです。つまり脳の中にもともとあるものを外化したものにすぎないということです。その意味で人間が人間以上のシステムを造り出せるとは思えないのです。

身体と社会システムの行方

一方で、人間が造り上げた社会システムが逆に人間に影響を与え、新たな環境的適応を迫るということがあります。

例えばコンピュータによる「擬似神経システム」の進化は意識の大脳領域での代替を進めていると言えますが、それは我われの大脳的緊張と意識のスピードを極限にまで高めるように要求しているように思えるわけです。

この状況に対する適応が過敏化だとも言えます。つまり羽根のように軽いフットワーク（軽い価値観）で反応することによって精神的バランスをとるわけです。一方、過敏ということは身体の無意識領域の変化に、より敏感に反応（意識化）するということでもあります。

外的条件として大脳領域の外的代替が進むほど、無意識領域は見えやすい位置に浮上してくるだろうし、主体的条件としてもそういう方向に人間の意識も集まりやすいということになると思うのです。

前にも触れたように過敏な身体は共鳴しやすい身体です。生命圏全体を環流する気のネットワーク（共鳴場）が見えてくる条件も煮つまりつつあると思えます。それが機械的な社会システムを身体的なものにしてゆく契機になりうるのではないかと思っています。

気で身体を読むということが、また、無意識領域に眠っている新たな水脈（思考の領域）を汲み上げる確かなシステムを造り出す手がかりを提供できるのではないかと――あるいはそうありたいと思っています。

ルと若干のズレがある。野口氏の見方については野口氏の著作『体癖』Ｉ・II（全生社）、体癖から見た人間関係を語る『病人と看護人』、『嫁と姑』上・下（同上）を参照されたい。

過敏型（11種）

過敏型はエネルギー傾向の変化が激しく一定しない。今日、注目すべき傾向なので少し詳しく特徴を示しておく。

・関節軟らかい（とくに手首を見ると分りやすい）。
・体の動きに重みがない。存在感も軽い。
・透明感がある。エネルギーは自然に（無為に）発散。
・顔の表情、体のバランス変化しやすい。不安定。
・努力できない。執着心・欲なし。
・価値観なし。両性具有的。感受性鋭く、直感的。
・何でも待っていると手に入る（努力すると手に入らない）。
・周りの人の緊張を緩める。若く（幼く）見える（十代の頃は逆に年長に見える場合が多い）。
・年寄りと幼児に好かれる。
・免疫反応過敏（アレルギー起こしやすい）、祝祭前夜的＝事件・イベントの前に興奮しやすい。予知能力あり。方向音痴。
・気の流れスピード速い。共鳴的資質。浄化能力あり（自他を問わず）。
・潜在意識領域と表層意識領域の境界があいまい（交流しやすい）。

遅鈍型＝無病型（12種）

体の反応が鈍い。症状が表れにくく、病気になりにくいが、表面化すると大病になる。

注＝以上に解説した筆者の体癖に対する見方は、野口晴哉氏のオリジナ

開閉型＝骨盤型

	9　種	10　種
体　型	骨盤小さく下半身細い	骨盤偏平、出産または老化で太りやすい
足の重心の偏り	内側に偏る。しゃがむと楽	外側に偏《かたよ》る。踵《かかと》をつけてしゃがみにくい
エネルギー活動の中心・発散様式	生　殖　器	
	一つのことに執着・集中しきることによって発散する	人の注目集まる場所で発散する
体運動の焦点	腰椎４番（９種は体を縮めやすい、10種はそり返りやすい）	
椎骨の変化	背骨の一つ一つが下に向きやすい	
緊張の中心	後頭部と骨盤の緊縮	骨盤上部の弛緩 下部の緊縮
性格的特徴と資質	スピード、緊張、狭い場所を好む／完全主義者／独断と偏見強い／持続力、執着心、記憶力強い／外見より内面・実質を重視／人の面倒見はよいがやりすぎやすい／ナポレオン型睡眠	家の中より外で母性的・世話役的な特性発揮／余分なことを忘れるタイプの集中／聞き上手／楽天的／世話好き／宴会の花／親分肌／スター的資質

捻れ型＝泌尿器型

	7　種	8　種
体　型	四肢たくましく筋肉発達	
足の重心の偏り	片方の足は前、もう一方は後に偏る。7種は全体に前に、8種は全体に後に重心が偏る	
エネルギー活動の中心・発散様式	泌　尿　器	
	闘争的発散。湿度高いと発散しにくい	
体運動の焦点	腰椎3番（歩行など捻れ運動でリズムをとる——尻を振る）	
椎骨の変化	捻《ねじ》れやすい（7種は上半身中心、8種は骨盤中心）	
緊張の中心	闘争時の捻れ緊張に余力がある	
性格的特徴と資質	闘争的緊張状態で元気／勝ち気、勝負を好む／動きに力感あり、たくましい／大げさ、やり過ぎ／短気／反抗的行動／ハッタリ的行動	むくみやすい／湿度に特に弱い／ライバルがあると頑張る／誰も嫌がること、できないことをやると元気になる／弱者に対する同情心・義侠心強い／悪環境に強い

前後型＝呼吸器型

	5　種	6　種
体　型	肩発達、逆三角形型	
足の重心の偏り	前に偏る(お辞儀をするとお尻後ろに突き出て重心後ろにかかる)	
エネルギー活動の中心・発散様式	呼　吸　器	
	運動・行動によって発散する	非日常的な状況で発散
体運動の焦点	腰椎5番(大股で歩く)	
椎骨の変化	背骨が前後に変化しやすい	
緊張の中心	肩先に緊張集まる	エネルギー内向すると肩先前彎
性格的特徴と資質	行動しながら考える／合理的発想／あきらめ早い／賑やかな場所好む／忙し好き／新しもの好き／スポーツマンタイプ／周りの雰囲気を明るくする／体の動きが止まると思考も止まる	疲れると呼吸浅くなる／イベントお祭り好き／エネルギー強い時に煮つまりやすい／発作的行動(場合によっては英雄的行動)で発散／殉教者的精神／新鮮な環境を得ると元気／緊急時に冷静な行動

左右型＝消化器型

	3　種	4　種
体　型	丸みのある体型	直線的な体型
足の重心の偏り	左右に偏る	
エネルギー活動の中心・発散様式	消化器	
	食べることによって発散／感情的エネルギーに集約	疲れると食欲落ちる／下痢でバランスをとる／感情が内向しやすい
体運動の焦点	腰椎２番（歩行など左右運動でリズムをとる）	
椎骨の変化	背骨が左右方向に変化しやすい ４種はとくに側彎しやすい 背骨の左右の筋肉盛り上がりやすい	
緊張の中心	なで肩、胸椎６・７番、交感神経、肋骨下部軟らかい	頸椎６・７番、副交感神経、いかり肩、肋骨下部硬くうすい
性格的特徴と資質	料理は好きだが掃除嫌い／好き嫌いが判断の基準／社交的で才気煥発に見える／善悪の区別なし（＝清濁合せのむ）／食べて発散	周りの雰囲気で気分が左右される（＝好きな環境におかれると発散）／感情が表面化しにくく生理的な面に影響する／涙が出ると発散／落ちこんだり、体調がわるいと、食べられなくなる

上下型＝頭脳型

	1　種	2　種
体　型	首が太く長い(体は全体的に細長い印象)	
足の重心の偏り	前に偏る	
エネルギー活動の中心・発散様式	脳	
	思考エネルギーによる昇華／思い込み・被暗示性高い	思考煮つまりやすい／精神的ストレス胃に影響／良い評価をうけると発散する
体運動の焦点	腰椎１番（歩行など上下運動でリズムをとる）	
椎骨の変化	背骨の一つ一つが上に向きやすい 腸骨が上に持ち上がりやすい	
緊張の中心	首の後ろ側緊張	胸鎖乳突筋緊張 (首の横)
性格的特徴と資質	思索的／行動より大義名分を重視する／規則的・自己完結的な生活スタイル／眠りは浅く長い	夢＝目標があると元気／考えるほど割り切れなくなり煮つまる／夢を見やすい／寝言言いやすい／意識が常に目の前のことより未来のことに向いている

が大きいほど執着傾向が小さいことになる。

*

体運動の傾向およびエネルギー傾向と性格的特徴・資質との間には特定の対応を見ることができる。以下に掲げる表はその対応関係を概括したものである。

のに対し、過敏型（11種）はエネルギーの偏り・方向性の希薄または変化のしやすさを表す。また遅鈍型（12種）は無反応・無病的傾向を表す。

いま頭脳型（1・2種）・消化器型（3・4種）・呼吸器型（5・6種）・泌尿器型（7・8種）・生殖器型（9・10種）を5つの原色にたとえれば、人それぞれ、原色を持つ割合が異なる。その中でとくに濃い色がその人の主たる体癖ということになる。

奇数種（1・3・5・7・9種）は自ら発色する傾向。偶数種は条件によって、例えばブラックライトを当てられたときに強く発色するような傾向である。従って例えば同じ頭脳型の1種と2種はひとりの人の中に同時には存在しない。

過敏型（11種）と遅鈍型（12種）は色で例えれば透明度といった一つの傾向の大小なので、1～10種の例えば1種と2種のような同じ頭脳型同士の（＋《プラス》と－《マイナス》のような）関係とは異なる。11種は透明で12種が不透明。

＊

なお、体癖類型と集中力との関係について言うと、集中力はどの体癖の場合もそのエネルギー特性に見合った方向に意識が集中したとき最大限に発揮される。集中力の強弱は体のエネルギーの波＝時間経過による増減に左右され、また個々人の持つ生来のエネルギー量によって変わる。したがって、集中力の有無自体は奇数・偶数の体癖には左右されない。過敏型の場合は短時間の集中力はあるが持続力がない。

1種から10種までのどの体癖の場合も、エネルギーが集中している場合にある方向に執着する傾向をもつ。集中が固定的になった場合、いわゆる〝執着体質〟と言うことができる。特に9種、2種の場合にその傾向が強い。また、過敏な傾向

体癖表《たいへき》

意識以前の気の動き（集中と発散）には人によって偏りがある。体の動き、環境の変化に対する感受性、エネルギーを発揮する方向性の違いを表したものが体癖である。

体癖というエネルギー特性を抑えつけるのではなく、活かす方向でしか人は元気になれない。

体癖には５つのパラメーターがある。ひとりの人間がそれぞれのパラメーターを合せ持っているが、その強弱を総合してその人のエネルギー傾向が決まってくる。野口晴哉《はるちか》氏の体癖分類は以下のようになされている（５類型プラス１傾向)。

①上下型（＝頭脳型）　［１種・２種］
②左右型（＝消化器型）［３種・４種］
③前後型（＝呼吸器型）［５種・６種］
④捻れ型（＝泌尿器型）［７種・８種］
⑤開閉型（＝骨盤型）　［９種・10種］

…………………………………………………………

⑥過敏型［11種]、遅鈍型［12種］

奇数体癖（１・３・５・７・９種）は主体的行為によって特定の方向に気の集中をするほど、同時に発散する傾向を示す。偶数体癖（２・４・６・８・10種）はエネルギーが停滞し、蓄積されやすい傾向をもつが、適合する環境・条件に出会うと一気に発散する。つまり外的条件に依存しやすい傾向を示す。

この５つのパラメーターがエネルギーの偏り・方向を表す

C　手で触れる方法（触手法。野口整体では〝愉気〞）

手(指または手の平)で体のある箇所を押さえるということは、

第1に、背骨・関節またはその周辺に触れる場合は、背骨・関節の位置関係あるいは体の姿勢にある方向を与えることによって、より気の通りやすい状態をつくり出すためである。

第2に、背骨・関節以外の特別なポイントに触れる場合は、そこに気を集めその反応を引き出すためである。ただし、力ではなく気で押さえるというくらいの感じがよく、指先に緊張が集まってはいけない。

自分で自分の体を押さえる場合、触れる手に感覚が集中しがちになるが、呼吸法と同様に、触れられる側である体の内側からの意識に重心がある方が良い。

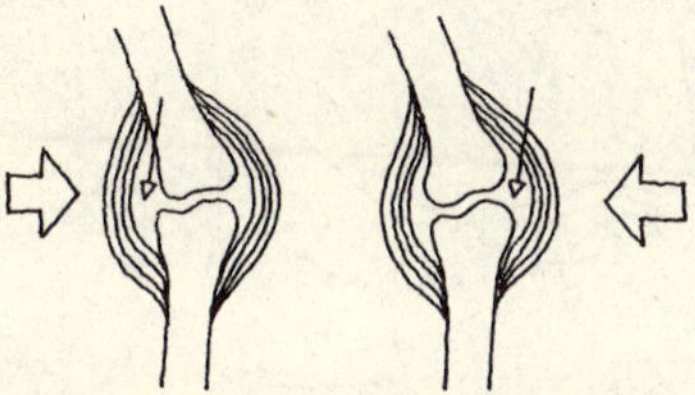

左側筋緊張（気の流れつまる）
①ズレの方向に押さえる。②緊張の強い側（上図左側）の気の流れ良くなる。③筋の緊張とれてズレは戻る。

右側筋弛緩（気の流れ弱）
①ズレと反対方向に押さえる。②弛緩側（上図右側）の気の流れ良くなる。③筋の弛緩とれてズレは戻る。

図5　関節のズレと気の流れとの関係

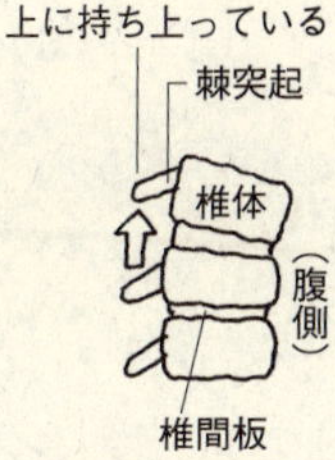

①矢印の方向にそっと押さえる。②気の流れ強まる。③元の位置に戻ってくる。

図6　脊椎《せきつい》のズレと押さえ方

げる。首の後ろを上の方に伸ばすようにする。→首や肩の力をゆっくり抜いてゆく→自動的に体に反応が起きるので自身の反応（体の中が温かくなったり体表が涼しくなったりする）を意識しておく。同じような反応が相手に起きる。相手に向けて意識が集中しすぎるより、自身の反応を意識している方がうまくいきやすい。

②首が伸びて肩が下がっている（頭が上に引っぱられている感じ）。

③指先の緊張をゆるめる（反応が強くなると指先に自動的に力が入るのでその度に力を抜く）。

④相手の体の中心軸が自分の中心軸からやや右手に感じるように位置・姿勢をとる。

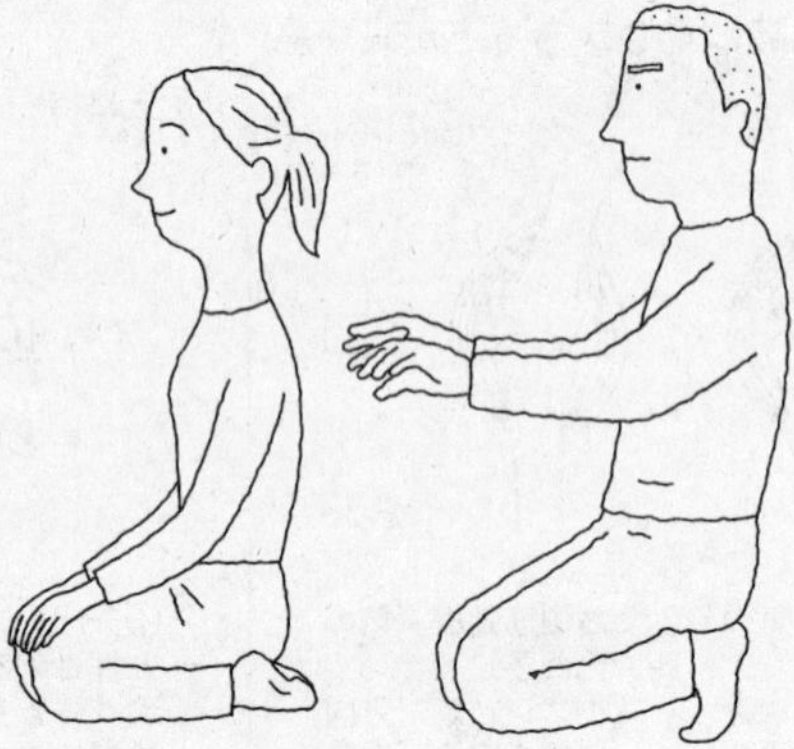

図４　離れた位置で気を通す（手あるいは同時に全身で反応をつかみながら波長を合せていく）。離れている方が難しそうに見えるが、実際は互いの距離（間合）や位置関係（角度）が自由にとれるので、気の反応は起きやすく、つかみやすい。いかにも気合が入っているような力んだ状態はダメ。全身の力が脱けている感じがよく、頭はカラッポがよい。

B　気の通し方（共鳴＝交流）

〝気の通し方〟とは、ひとに対して気を通す場合で、お互いの波長を合せることによって自然に共鳴状態（交流状態）になることが要点である。したがってこの場合は、かえって両者とも意識的に呼吸法にとらわれない方がよい（気功法では〝外気功〟）。

1　相手に波長を合せる。互いの気の空間を一つにして共有する。
・意識の集中の仕方としては、ジッと見つめる感じというよりはボーッと見る感じ。眼の集中というより耳の集中という感じ。全身で周囲の気配を感じとる。
・音楽を聞くときの感じで言えば、音楽を対面的に聞くというより、音楽の中に入りこむ感じ。意識としては無心の状態になっているのがよい。

2　呼吸は、集中が高まるほど、自然に深く長くなる。それによって――

3　体の中が温かくなる。体表、手足にバイブレーションが起こる。これは細かいほど良い（この反応は気を通される側、通す側に同様に起こる。以下も同様）。

4　皮膚の表面が涼しくなる（手足の末端→脚・腕の外側→体幹→頭の順にいきやすい）。

5　〝丹田〟中心に体の芯が温かくなる。

〔気を通すときの気を集中させる姿勢あるいは方法〕

本来、無意識的に行なわれるべきであるが、客観的に説明しようとすれば以下のようになる。

①手を軽く前へ押し出す。アゴは軽く引く。肩先をグッと下

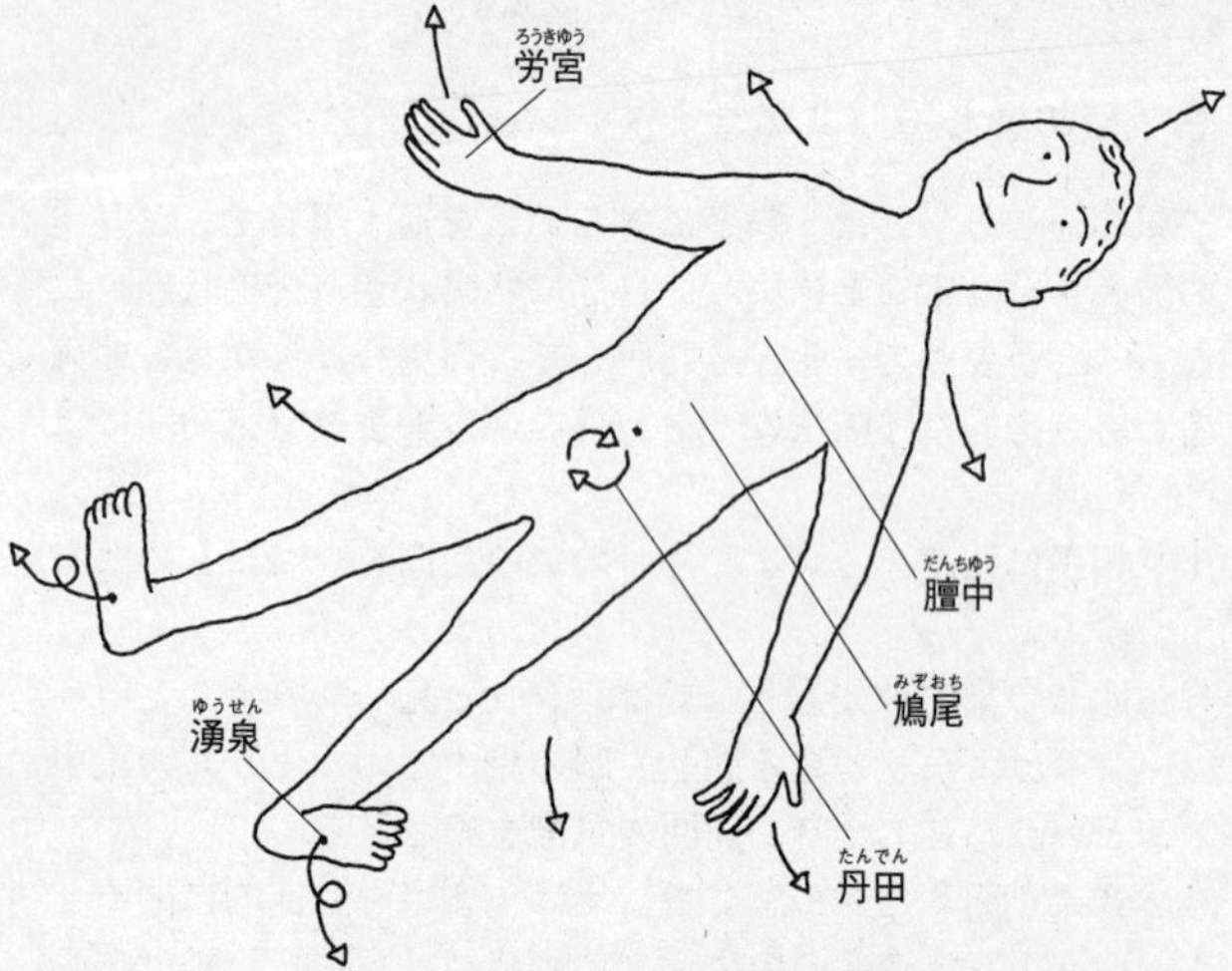

図1　呼吸法と気の集中・発散

図2　湧泉（足の発散の中心）

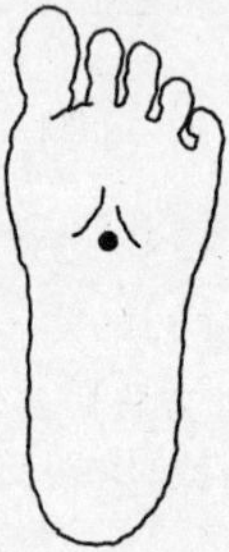

図3　労宮（手の発散の中心）

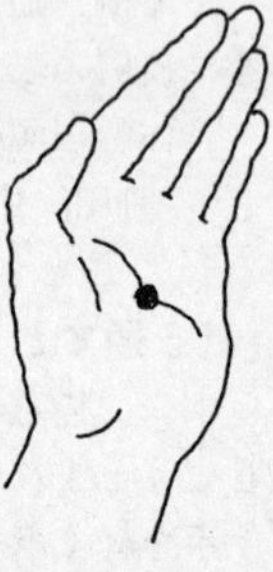

気の流し方

A　気の呼吸法（もっとも基本的なもの）

〝気の呼吸法〟とは、ひとりで自分の体に気を通す場合の方法である。この場合は、外側から自分の体を意識してしまいやすいので、内側からの意識に切り替えることが要点になる。共鳴ということで言えば、周りの空間との共鳴ということになる（野口整体では〝行気《ぎょうき》〟、気功法では〝内《ない》気功〟）。

1　体の内側から外側への意識の流れをつくる（家の中から外を見ているような感じ）。

2　気の空間に包まれている感覚をつかむ（気の海に浮んでいるような感覚）。

3　足裏のツボ〝湧泉《ゆうせん》〟に皮膚の内側から意識を当て、息をそこから静かに吐く。それによって――

4　〝湧泉〟を中心にバイブレーションが起こり、足先から発散が始まり、涼しくなる。

5　脚の外側が涼しくなり、内側が温かくなる。

6　腕の外側、上半身全体の外側が涼しくなる（手の平の〝労宮〟を中心にバイブレーションが起こる）。

7　〝丹田〟が温かくなる（全体の発散が強くなるほど〝丹田〟に気は集中する）。

注＝呼吸は力んではいけない。〝気の空間〟に身を任せるほど気の流れは強まる。

サ

カ

索引

本書は、一九八九年四月、日本エディタースクール出版部より刊行された『気と身体』に加筆、再編集したものです。

ハーメルンの笛吹き男　阿部謹也
「笛吹き男」伝説の裏に隠された謎はなにか？　十三世紀ヨーロッパの小さな村で起きた事件を手がかりに中世における「差別」を解明。（石牟礼道子）

世界史の誕生　岡田英弘
世界史はモンゴル帝国と共に始まった。東洋史と西洋史の垣根を超えた世界史を可能にした、中央ユーラシアの草原の民の活動。

とびきり愉快なイギリス史　ジョン・ファーマン　尾崎寔訳
愉快な「とびきり」シリーズの一冊め。歴史上のエピソードをざっくばらんに笑いのめした、ユーモアと皮肉と愛情たっぷりのイギリス史。イラスト多数。

とびきり陽気なヨーロッパ史　テランス・ディックス　尾崎寔監修　竹内理訳
この一冊でヨーロッパの全てがわかる?!　各国別の成績表までつけて、ユーモアたっぷりにコキおろす。複雑な歴史を楽しく学ぼう。イラストも笑えます。

わが半生（上）　愛新覚羅溥儀　小野忍／野原四郎／新島淳良／丸山昇訳
清朝末期、最後の皇帝がわずか三歳で即位した。紫禁城に宦官と棲む日々……。映画『ラスト・エンペラー』でブームを巻きおこした皇帝溥儀の回想録。

わが半生（下）　愛新覚羅溥儀　小野忍／野原四郎／新島淳良／丸山昇訳
満州国傀儡皇帝から一転して一個の人民へ。溥儀は第二次世界大戦を境に「改造」の道を歩む。訳者による、本書成立の経緯を史料として追加。

東條英機と天皇の時代　保阪正康
日本の現代史上、避けて通ることの出来ない存在である東條英機。軍人から戦争指導者へ、そして極東裁判に至る生涯を通して、昭和期日本の実像に迫る。

甘粕大尉　増補改訂　角田房子
関東大震災直後に起きた大杉栄殺害事件の犯人、甘粕正彦。後に、満州国を舞台に力を発揮した伝説の男、その実像とは？（藤原作弥）

昭和史探索（全6巻）　半藤一利編著
名著『昭和史』の著者が第一級の史料を厳選、抜粋。時々の情勢や空気を一年ごとに分析し、書き下ろしの解説を付す。《昭和》を深く探る待望のシリーズ。

第二次大戦とは何だったのか　福田和也
第二次大戦は数名の指導者の決断によって進められた。グローバリズムによって世界の凝集と拡散が進む今日、歴史の教訓を描き出す。（斎藤健）

山頭火句集 種田山頭火 村上護編
自選句集「草木塔」を中心に、その境涯を象徴する随筆も精選収録し、〝行乞流転〟の俳人の全容を伝える一巻選集！ (村上護)

水曜日は狐の書評 狐 小崎侃画
鋭い切口と愛情あふれる筆致で本好きのハートをとらえた狐の書評、最新版。小説・エッセイ・マンガなど読みたい本がいっぱい。 (植田康夫)

私の幸福論 福田恆存
この世は不平等だ。何と言おうと！ しかしあなたは幸福にならなければ……。平易な言葉で生きることの意味を説く刺激的な書。 (中野翠)

生きるかなしみ 山田太一編
人は誰でも心の底に、様々なかなしみを抱きながら生きている。「生きるかなしみ」と真摯に直面し、人生の幅と厚みを増した先人達の諸相を読む。

私の好きな曲 吉田秀和
永い間にわたり心の糧となり魂の慰藉となってきた、著者の最も愛着のある音楽作品について、その魅力を明晰に語る、限りない喜びにあふれる音楽評論。

科学はどこまでいくのか 池田清彦
「環境問題」も「生命操作」も利権とカネの種?! 真理と進歩の夢を追って巨大化し、なお私たちの欲望を刺激してやまない科学という英知を問い直す。

生きて死ぬ私 茂木健一郎
人生のすべては脳内現象だ。ならば、この美しくも儚い世界は幻影にすぎないのか。それとも……。新たな世界像を描いた初エッセイ。 (内藤礼)

ヒトの見方 養老孟司
ヒトはヒゲのないサル⁉ 解剖学を専攻する著者が、形態学の目から認知科学、進化論などを明快なタッチで語った科学エッセイ集。 (筒井康隆)

脳の見方 養老孟司
脳が脳を考えて、答えは出るのか？ 肉体・言語・時間……を論じ、脳とは何か、ヒトとは何かに迫る。「唯脳論」へと続くエッセイ集。 (夢枕獏)

からだの見方 養老孟司
心は脳の機能なのか。からだが滅びると、心は一体どこへ行くのか。物とヒトとを見つめながら、果てしなく広がる思考の宇宙。 (内田春菊)

逃走論 浅田彰

パラノ人間からスキゾ人間へ、住む文明から逃げる文明への大転換の中で、軽やかに〈知〉と戯れるためのマニュアル。

増補 現代思想のキイ・ワード 今村仁司

80年代のニューアカ、ポストモダン・ブームとは何だったのか？ 世界を席巻した現代思想のキイ・ワードが、20年の歳月を経た今、増補版で蘇る。

ザ・フェミニズム 上野千鶴子 小倉千加子

当代きってのフェミニスト二人が、さまざまなトピックを徹底的に話しあった。今、あなたのフェミニズム観は根本的にくつがえる。（遙洋子）

大人は愉しい 内田樹 鈴木晶

大学教授がメル友に。他者、映画、教育、家族――批判だけが議論じゃない。「中とって」大人の余裕で生産的に。深くて愉しい交換日記。

セックス神話解体新書 小倉千加子

これでどうだ！ 小気味いいほど鮮やかに打ち砕かれていく性の神話の数々。これ一冊であなたのフェミニズムに対する疑問は氷解する。（柏木恵子）

多重化するリアル 香山リカ

解離は病理なのか、それとも現実への適応か。テロや格差で不安定化する社会を背景に、希薄な現実感や当事者意識に戸惑う現代人の心理現象を読みとく。

敗戦後論 加藤典洋

「戦後」とは何か？ 敗戦国が背負わなければならなかった「ねじれ」を、われわれはどうもちこたえるのか？ ラディカルな議論が文庫で蘇る。（内田樹）

戦闘美少女の精神分析 斎藤環

ナウシカ、セーラームーン、綾波レイ……「戦う美少女」たちは、日本文化の何を象徴するのか。「おたく」「萌え」の心理的特性に迫る。（東浩紀）

「自分」を生きるための思想入門 竹田青嗣

なぜ「私」は生きづらいのか。「他人」や「社会」をどう考えたらいいのか。誰もがぶつかる問題を平易な言葉で哲学し、よく生きるための〝技術〟を説く。

哲学者とは何か 中島義道

この国に哲学研究者はゴマンといるが、「哲学者」はほとんどいない。「哲学する」ということを根源から問い直した評論集。（松原隆一郎）

批評の事情　永江朗
いまの批評家を批評する（批評の2乗）、面白くてためになる本。宮台真司、大塚英志、東浩紀、斎藤美奈子ら44人を捉える手さばきも見事。

東大で上野千鶴子にケンカを学ぶ　遙洋子
そのケンカ道の見事さに目を見張り「私も学問がしたい！」という熱い思いを読者に湧き上がらせた、涙と笑いのベストセラー。（斎藤美奈子）

世界がわかる宗教社会学入門　橋爪大三郎
宗教なんてうさんくさい⁉　でも宗教は文化や価値観の骨格であり、それゆえ紛争のタネにもなる。世界宗教のエッセンスがわかる充実の入門書。

変態（クィア）入門　伏見憲明
レズビアン・ゲイ・性同一性障害・半陰陽・女装家……性の境界を揺るがす人々とゲイライター伏見が徹底対談。世界の見方が変わる！（中村うさぎ）

反社会学講座　パオロ・マッツァリーノ
恣意的なデータを使用し、権威的な発想で人に説教する困った学問「社会学」の暴走をエンターテイメントな議論で撃つ！　真の啓蒙は笑いから。

増補　サブカルチャー神話解体　宮台真司／石原英樹／大塚明子
少女カルチャーや音楽、マンガ、AVなど各種メディアの歴史を辿り、若者の変化を浮き彫りにした前人未到のサブカル分析。（上野千鶴子）

挑発する知　姜《カン》尚《サン》中《ジュン》　宮台真司
愛国心とは何か、国家とは何か、知識人の役割とは何か。アクチュアリティの高い問題を、日本を代表する論客が縦横に論じる。新たな対談も収録。

自分と向き合う「知」の方法　森岡正博
世の中、自分を棚に上げた物言いばかり。そうではない知の可能性を探り、男女問題、宗教、生命等を透徹した視点で綴るエッセイ。（鷲田清一）

脳と魂　養老孟司　玄侑宗久
解剖学者と禅僧。異色の知による変幻自在な対話。二人の共振から、現代人の病理が浮き彫りになり、希望の輪郭が見えてくる。（茂木健一郎）

ちぐはぐな身体《からだ》　鷲田清一
ファッションは、だらしなく着くずすことから始まる。中高生の制服の着崩し、コムデギャルソン、刺青等から身体論を語る。（永江朗）

路上観察学入門 赤瀬川原平／藤森照信／南伸坊編

マンホール、煙突、看板、貼り紙……路上から観察できる森羅万象を対象に、街の隠された表情を読みとる方法を伝授する。（とり・みき）

老人力 赤瀬川原平

20世紀末、日本中を脱力させた名著『老人力』と『老人力②』が、あわせて文庫に！　ぼけ、ヨイヨイ、もうろくに潜むパワーがここに結集する。

温泉旅行記 嵐山光三郎

自称・温泉王が厳選した名湯・秘湯の数々。旅行ガイドブックとは違った嵐山流遊湯三昧紀行。気の持ちようで十分楽しめるのだ。（安西水丸）

頰っぺた落とし　う、うまい！ 嵐山光三郎

うまい料理には事情がある。不法侵入者のカレー、別れた妻の湯豆腐など20の料理にまつわる、ジワリと唾液あふれじんと胸に迫る物語。（南伸坊）

笑う茶碗 南伸坊

笑う探検隊・シンボー夫妻が、面白いものを探し求めて東へ西へと駆け巡る！　あまりの馬鹿馬鹿しさに茶碗も笑うエッセイ集。（夏石鈴子）

下町酒場巡礼 大川渉／平岡海人／宮前栄

木の丸いす、黒光りした柱や天井など、昔のままの裏町場末の居酒屋。魅力的な主人やおかみさんのいる個性ある酒場の探訪記録。（種村季弘）

東京酒場漂流記 なぎら健壱

異色のフォーク・シンガーが達意の文章で綴るおかしくも哀しい酒場めぐり。薄暮の酒場に集う人々との無言の会話、酒、肴。（高田文夫）

バーボン・ストリート・ブルース 高田渡

流行に迎合せず、グラス片手に飄々とうたい続け、いぶし銀のような輝きを放しつつ逝った高田渡の酔いどれ人生、ここにあり。（スズキコージ）

つげ義春を旅する 高野慎三

山深い秘湯、ワラ葺き屋根の宿場街、路面電車の走る街……、つげが好んで作品の舞台とした土地を訪ねて見つけた、つげ義春・桃源郷！

バスで田舎へ行く 泉麻人

北海道の稚内から鹿児島県の種子島まで各地のローカルバスに乗れば、奇妙な地名と伝説、土地の人の会話、〝名所〟に出会う。（実相寺昭雄）

大正時代の身の上相談　カタログハウス編

他人の悩みはいつの世も蜜の味。大正時代の新聞紙上で129人が相談した、あきれた悩み、深刻な悩みが時代を映し出す。（小谷野敦）

駄菓子屋図鑑　奥成達・文　ながたはるみ・絵

寒天ゼリーをチュルッと吸い、ゴムとびの高さを競い、ベーゴマで火花散らしたあの頃の懐かしい駄菓子と遊びをぜんぶ再現。（出久根達郎）

大増補版 まぼろし小学校 ものへん　串間努

ピカピカのランドセル、憧れのロック式筆入れ……。学用品の誕生秘話からヨーヨー・チャンピオンのインタビューまで。昭和の小学校を完全保存。

トンデモ一行知識の世界　唐沢俊一

何の役にも立たないけれど、つい誰かに話したくなるカルトな知識がギュウ詰め。〝必笑〟の雑学ネタどど～んと三〇〇本！（植木不等式）

はじまりは大阪にあり　井上理津子

えっ！　これもあれも大阪から生まれたのか。回転ずし、ビアガーデン、自動車学校などを創造したアイディアと人間模様の面白さを描く。

日本ばちかん巡り　山口文憲

日本各地の宗教団体を、身一つでルポした貴重な記録。その聖地＝バチカンに集う人々の姿から、日本文化の多様性が見えてくる。（有田芳生）

官能小説用語表現辞典　永田守弘編

官能小説の魅力は豊かな表現力にある。本書は創意工夫の限りを尽したその表現をピックアップした、日本初かつ唯一の辞典である。（重松清）

茫然とする技術　宮沢章夫

かつてこれほどまでに読者をよくわからない時空に置き去りにするエッセイがあっただろうか。笑った果てに途方に暮れる71篇。（松尾スズキ）

いやげ物　みうらじゅん

水で濡らすと裸が現われる湯呑み。着ると恥ずかしい地名入Tシャツ。かわいいが変な人形。抱腹絶倒土産物、全カラー。（いとうせいこう）

ブロンソンならこう言うね　ブロンソンズ（田口トモロヲ＋みうらじゅん）

人気の著者二人が尊敬する男気のある俳優、チャールズ・ブロンソンならきっとこう言うね！　とお互いの悩みに答えあう爆笑人生相談。特別増補版。

わたしの日常茶飯事　有元葉子

毎日のお弁当の工夫、気軽にできるおもてなし料理、見せる収納法やあっという間にできる掃除術など。これで暮らしがぐっと素敵に！（村上卿子）

イタリア　田舎暮らし　有元葉子

ミラノでもローマでもない田舎町に恋をして家を買い……。自然と寄り添い、豊かさや美しさとは何かを教えてくれたイタリア暮らしのあれこれ。

いつかイギリスに暮らすわたし　井形慶子

失恋した時、仕事に疲れた時、いつも優しく抱きとめてくれたのは、安らぎの風景と確かな暮らしのあるイギリスだった。あなたも。（林信吾）

小さな生活　津田晴美

暮らし方は、その人の現実への姿勢そのものだ。流れに身をまかせた時代を卒業し、自分らしい「小さな生活」を築きたい人へ。（渡辺武信）

旅好き、もの好き、暮らし好き　津田晴美

旅で得たものを生活に生かす。風景の中に「好き」を見つける。インテリアプランナーの視点から綴る、旅で見出す生活の精神。（沢野ひとし）

Land Land Land　岡尾美代子

旅するスタイリストは世界中でかわいいものを見つけます。旅の思い出とプライベートフォトをA(airplane)からZ(zoo)まで集めたキュートな本。

諸国空想料理店　高山なおみ

注目の料理人の処女エッセイ集。世界各地で出会った料理をもとに空想力を発揮して作ったレシピ。よしもとばなな氏も絶賛。（南椌椌）

アジア　おいしい話　平松洋子

食卓で舌鼓をうつ時、その向こうにあるおいしさの秘密を知りたくなる。アジアを旅して台所や厨房で教わった、おいしさのコツ。（酒井順子）

小鉢の心意気　阿部なを

料理研究家・阿部なをの代表作。ひっそりと、心安らぐ存在である小鉢もののようにと願う著者の名随筆。季節の献立満載。（高山なおみ）

味覚日乗　辰巳芳子

春夏秋冬、季節ごとの恵み香り立つ料理歳時記。日々のあたりまえの食事を、自らの手で生み出す喜びと呼吸を、名文章で綴る。（藤田千恵子）

ちくま文庫

整体《せいたい》から見《み》る気《き》と身体《しんたい》

二〇〇六年 七 月 十 日 第一刷発行
二〇〇九年十一月十五日 第九刷発行

著 者 片山洋次郎（かたやま・ようじろう）
発行者 菊池明郎
発行所 株式会社 筑摩書房
東京都台東区蔵前二―五―三 〒一一一―八七五五
振替〇〇一六〇―八―四一二三
装幀者 安野光雅
印刷所 三松堂印刷株式会社
製本所 株式会社積信堂

乱丁・落丁本の場合は、左記宛に御送付下さい。
送料小社負担でお取り替えいたします。
ご注文・お問い合わせも左記へお願いします。
筑摩書房サービスセンター
埼玉県さいたま市北区櫛引町二―六〇四 〒三三一―八五〇七
電話番号 〇四八―六五一―〇〇五三

ISBN4-480-42196-3 C0177